JN078246

コニボシのパロディー物語Ⅱ

間（ま）、いいか!?

はじめに

「間(ま)、いいか⁉」

今、いや、きっとこれからもずっと一番好きな言葉です。この言葉を好きになってから、嫌だったり、納得がいかなかったり、当てが外れたりした事柄が起こった時のリアクションが変わりました。

この言葉を心で唱えると、怒りや落胆や不安などによって感情的になった心がだんだんと落ち着くのです。私にとっては、魔法の言葉です。

昨年、私は、「パロディー物語を書こう！」という本を出版しました。本一冊あたりにかかる費用を安くしようと、出版社の人の助言を聞かず、たくさん刷りました。今、見事に売れ残っています。残りすぎて、正直、落胆しました。しかし、それでも二冊目を書こうと思ったのは、「売れなかったけど、ま、いいか！」と思えたからです。

一冊目の本は、書きたいから書きました。二冊目の本も、一冊目の失敗にめげず、とにかく書きたいから書きました。ただ、一冊目と違うのは、書きたいと思った理由の一つに、今年七月にCDのミ

ニアルバム　コニボシとその仲間たち「コニボシワールド　～愛と調和～」を出したことがあります。私が五曲とも作詞し、同じ作曲家に曲を依頼しました。そのうちの二曲は私の歌唱で、他の三曲はそれぞれ別の人に歌ってもらいました。どの歌詞も、私が考えるパロディー物語の要件を満たしているので、本に歌詞を載せ、その裏話を書きたくなったのです。ちょうど、この本、パロディー物語Ⅱ「間（ま）、いいか!?」を書こうかな、と考えていた時だったので、タイムリーでした。

　どのように両者をコラボさせようかと考えていると、焼き鳥屋で食べた「ネギ間」がヒントになりました。五つの歌詞を物語の「間」に入れることを思いついたのです。そういう経緯があり、掲載の十三作（番外の二つを入れると十五作）のパロディー物語を代表し、本のタイトルが、「間（ま）、いいか!?」になりました。

　さて、今回の本も、パロディー物語を書くことの楽しさや書き方を作品を通して紹介するねらいがあります。

　まず、楽しさの方から説明しますと、今回は自分のことをネタに十五作中五作、書きました。間（ま）の歌詞は、五作中三作が自分のことをネタにしています。

　昔の自分を振り返ると、当時見過ごしていたいろいろな気づき、発見があります。また、昔の自分を笑えたり、叱りたくなったり、いとおしくなったり、いろいろな感情がこみあげてきます。私は、自分を主人公とした物語を書くことで、自分への理解が深まり、自分がより好きになりました。それが、今回味わった一番の楽しさです。

体験をもとに、自分を主人公にした作品を空想、妄想したことを加えて書くことを一押しでお勧めします。

それ以外の作品は、伝えたい主題、表現したいことがあるから書きました。書く過程で考えたことや心に浮かんだ思いが、日々の出来事と化学反応し、私の新たな体験となりました。読者の皆様のリアクションによって、さらに新たな体験が加わることを期待しています。

次は、書き方についてです。

今回、私がとった書き進め方は次の三段階です。

❶ タイトルをリラックスした時間（私の場合、今回は室内プールや屋外でのウォーキング中、晩酌でほろ酔いになっているとき）に、兎に角たくさん考え、話にできそうなものを選ぶ。

❷ いきなり書かずに、頭の中で大まかな起承転結を、やはりリラックスした時間に考え、熟成させる。その際、形にしようとするのではなく、考えること自体を楽しむ。楽しめない話は、書く対

象から外す。

❸ 物語をメールに書き、喜んで読んでくれる人に送ることを目標にする。（伝える相手がいると、とてもやる気が出ました。）

話の展開が浮かばなくて、書き進められなくてもあせらず、「すいすい書けなくても、いいのだ！本当に書きたい物語は、いつかきっと書ける。そして、日々の体験に物語を前に進めるヒントがある。」と考え、「明日があるさ！」の心境で取り組むことが大切だと、体験から確信しています。

私の場合は、何気ない身の回りのできごとや本から書き進めるためのヒントをたくさんもらいました。わざわざ、高松市の山間部にある田舎の温泉ホテルに泊まって書いたこともあります。窓から渓流のせせらぎを見ながら作家きどりで書きました。心が洗われ、新鮮な気持ちで書くことができました。

書き方と言っても、私がしたことをただ単に紹介しただけですが、参考になる点があれば幸いです。

一番身近で大好きな自分自身を主人公に、パロディー物語を書きましょう。自分自身を思い切り物語の世界で躍動させましょう。

また、自分が主張したいことを、物語を通じてユーモアを交え、おしゃれに、時にはダサく伝えましょう。

勝海舟の言葉、「人の評価は人のもの。自分の評価は自分のもの」そのとおりだと心から思います。「人の評価と本の価値は、関係ない！」と気にしなくなれば、文章を書くことがとても楽しくなりますよ。

目次

はじめに　2

1　すもも太郎　9

2　花咲かんじいさん　19

間1　「零和の時代」　24

3　一寸先は闇帽子（やみぼうし）　28

4　カチナシ山　31

間2　「レッツビギン！」　36

5　どっちが凄い「うなぎのぼり　対　鯉のぼり」　41

6　中年ジャンプ　46

間3　「ソウルバディ」　52

7　ガリゴリ君の成長　56

8　ゆるぷあ物語　62
間4「骨だけの傘」　68
9　ペチュの縁結び　73
10　竜虎（りゅうこ）ドラガース　82
間5　自分王国　90
11　イボ兄弟　94
12　脳脳（のうのう）と生きるな！　102
13　間（ま）、いいか!?　110
番外　1　太もも太郎　118
番外　間1「アンナ　ツンデレラ」　126
番外　2「目覚めよ！　百呆山」　130
おわりに　138

1　すもも太郎

昔々、瀬戸内海の龍鳳島（りゅうほうじま）に、おじいさんとおばあさんが住んでいました。ある日、おじいさんは、山へしば刈りに、おばあさんは川へ洗濯に行きました。

おばあさんが、大きなすももの木の下の日陰で洗濯をしていると、たらいに大きく立派なすももが落ちてきました。おばあさんがすももを取ろうとすると、すももが割れて中から小人の赤ちゃんが出てきました。体はとても小さいのに、大きい声で泣く元気な赤ちゃんです。ちょうどその時、おじいさんが帰ってきました。おじいさんとおばあさんはとても喜び、二人の子どもとして育てることにし、「すもも太郎」と名付けました。すもも太郎は、おじいさんとおばあさんの愛情につつまれ、すくすく成長しました。

すもも太郎は、元気でやさしく賢い子どもで、おじいさんやおばあさんの手伝いを進んでしました。また、困っている人がいたら進んで助けました。

すもも太郎は、動物の気持ちが分かりテレパシーで話をすることができました。鹿（しか）、蛇（へび）、鷲（わし）、孔雀（くじゃく）が友達です。プラムちゃんというかわいいガールフレンドもできました。

島は平和ですが、一つ大きな問題を抱えていました。年に一度、島の宝である特産物のすももを奪いに「鬼ヶ島」から鬼がやってくることです。島の伝説によると、昔々のそのまた昔、村の支配者になろうとした海賊を追っ払うために、鬼ヶ島の鬼の力を借り、鬼にずっとお礼を続けなければならなくなったとのことです。島のすももは、品種と土壌と気候が見事にマッチし抜群においしいので、とても高い値段で売れます。そのため、鬼はすももを毎年お礼として渡すことを力ずくで当時の島の人たちに約束させたのです。以来ずっと島の長老が窓口になって、島のみんなからすももを集め鬼に渡しています。

長老が島の人たちを集めて悲壮な顔と声で言います。

「鬼が、すももの酒を造ることを理由に、今までの二倍の量をよこせと言ってきた。今までの二倍も渡したら、私たちの生活が立ち行かなくなる。ご先祖が世話になったし、争いごとはよくないと思い、だまってすももを渡してきたが、欲の皮がつっぱってきた鬼の要求は呑めない。要求をおとなしく呑んだら、来年は三倍よこせと言うに違いない。鬼退治が必要だ。だれか鬼ヶ島に鬼退治に行ってくれるものはおらんか。」

すると、すもも太郎が

「私が行きます。」

ときっぱり言います。続けて
「仲間の鹿、蛇、鷲、孔雀と力を合わせて、鬼を退治します。」と言ってくれました。

その言葉を聞き、おじいさんとおばあさんは、心配になりました。

おじいさんは、

「お前が賢く勇敢なのはわかるが、小さい体のお前と仲間の動物たちで、大きくて強い鬼に本当に勝てるのか？」

と尋ねます。すもも太郎は、

「勝てるかどうかではなく、誰かがチャレンジしなければならないと思ったのです。島のみんなのために仲間と力を合わせ、鬼を退治できる

よう全力を尽くします。」

と答えました。長老は感動し、すもも太郎に
「よろしく頼む。必要なものは私が手配する。」

と言います。長老は、鬼に
「今年は、こちらから船を出して去年の二倍のすももを届けます。」

と伝えました。

　鬼に船で行くことを伝えた三日後、鬼を騙すために三箱分よく熟したすももばかりを選び積み込みました。その他に船に積み込んだのは、鹿、蛇、鷲、孔雀それぞれが隠れた箱とたくさんの空箱、そしてピンチになったら破裂させて煙幕をつくる玉、なめると力がみなぎる特製すももジャムの入ったツボです。いよいよ出航。すべての島民が見送りに駆けつけてくれました。すもも太郎が船首に立ち颯爽と鬼ヶ島に向かいます。

　鬼ヶ島に着いたら、すもも太郎の指示で船乗りたちがすばやく積み荷を降ろし、すぐに船に乗って鬼ヶ島を離れます。鬼ヶ島には、すもも太郎と箱に隠れた鹿、蛇、鷲、孔雀だけが残りました。積んできた三箱分のすももは、すもも太郎の前に置きました。たくさんの空箱は、すもも

太郎の後ろに置きました。すももは、三箱分しかありませんが、辺りにとてもおいしそうな甘い匂いが漂いました。これで、鬼たちは、たくさんのすももを運んできたと思うでしょう。

すもも太郎は、仲間と協力すれば鬼に勝てる自信がありました。鹿の角攻撃と後ろ蹴り攻撃、蛇の首に巻きつく窒息攻撃と牙の毒攻撃、鷲の急降下しての嘴(くちばし)と鋭い爪による攻撃、孔雀の美しい羽による幻惑攻撃の威力を知っていたからです。

すもも太郎とその仲間たちは、特製すももジャムをなめ、戦闘態勢を整えます。そこに鬼たちが現れます。鬼たちは、すもものいい匂いに顔が緩(ゆる)みます。

すもも太郎は、鬼たちのリーダーの赤鬼に

「仰(おお)せの通り、すももを去年の二倍お納めします。」

と言い、頭を下げます。

赤鬼は、手下の青鬼、緑鬼、紫鬼、黄鬼にすべての箱の中身を確かめるよう命じます。確かめるとほとんどが空箱で、あとは鹿、蛇、鷲、孔雀が入った箱でした。手下の鬼たちは怒り狂い、すもも太郎たちに襲いかかろうとします。そのタイミングを待ってましたとばかり、孔雀が鬼たちに幻覚を見せます。鬼の見る景色がゆがんだり、ひっくり返ったり、回ったりしました。何が起こったか分からず戸惑う鬼たちに、鹿、蛇、鷲が得意技で襲いかかります。鬼たちは、大混乱に陥りました。

しかし、離れて戦いの様子を見ていた鬼のリーダーの赤鬼は冷静です。鬼たちを大声で一喝。そして、

「相手は、見た目よりずっと強い。いくら力自慢のお前たちでも、素手では勝てない。鬼に金棒だ。金棒で、やっつけろ！」

と命じます。これで、一気に形勢逆転。

金棒を持ち集中力の高まった鬼たちに、もう孔雀の幻覚作戦は通用しません。鬼が操る金棒が「ビューン、ビューン。」とすさまじい音をたてて、すもも太郎たちを襲います。金棒で叩

いた地面には、まるで地震が起こったような地割れができます。凄い破壊力です。しかし、煙幕を張りながら逃げる、すばしこいすもも太郎たちをなかなかやっつけることができません。リーダーの赤鬼は、

「すもも太郎に攻撃を集中するんだ!」と大声で言います。悪いことに煙幕を張る玉がなくなります。

すもも太郎、危機一髪。

すもも太郎は、大きな岩の上で三本の金棒の一斉攻撃を間一髪何とかかわすものの、かすり傷を負ってしまいます。三本の金棒が同時に振り下ろされた大きな岩は木っ端みじんに砕けました。すもも太郎が、「四本の金棒が振り下ろされたら、もうかわせない。」と思うと同時に大きな声。

「我は、龍鳳島の守り神の龍神だ。宇宙とつながり、水をつかさどるクールな叡知(えいち)の神だ。」

また、別の大きな声。

「我も龍鳳島の守り神の鳳凰(ほうおう)だ。地球とつながり、火をつかさどるホットなエネルギー、生命力の神だ。」

龍神は、すもも太郎に一瞬でテレパシーを送ります。

「すもも太郎、よく無鉄砲にも鬼ヶ島に来てくれた。礼を言う。私と鳳凰は、昔々のそのまた昔、鬼を操る高い次元から来た悪い宇宙人に不覚にも騙（だま）され、鬼ヶ島に封印された。お前のおかげで、封印の大きな隕石（いんせき）の岩がなくなり、出て来られたのだ。早速、鬼退治の方法を教える。仲間の鹿と蛇が合体すれば、龍になる。鷲と孔雀が合体すれば鳳凰になる。「龍に鳳凰」は、この世では最強コンビだ。例えれば、龍は「技の仮面ライダー1号」、鳳凰は「力の仮面ライダー2号」だ。つまり、「龍＋鳳凰」は、無敵のダブルライダーと同じだ。そして、すもも太郎、お前は、龍と鳳凰をつかいこなせる「力と技の仮面ライダーV3」のようなものだ。「鬼＋金棒」など足元にも及ばない。」

鹿と蛇、鷲と孔雀が合体すると同時に、龍と鳳凰が現れました。龍は稲光（いなびかり）で、鳳凰は翼（つばさ）が起こす突風で、鬼どもを簡単に蹴散らします。

それを見て、やさしいすもも太郎は、言いました。

「鬼たちを必要以上にいじめないでください。私たちは、鬼たちが龍鳳島のすももを奪わないようになればいいのです。」

鳳凰は、

「お前の気持ちはよくわかった。鬼たちは、愛が学べる別の次元の鬼ヶ島にブラックホールからワープさせる。それで、よいか。」

と言います。


すもも太郎はうれし涙を流しながら、龍神と鳳凰にお礼を言います。

「ありがとうございます。これからずっと龍鳳島を守ってください。」


目の前からさっと鬼たちが消えました。


すもも太郎たちは、迎えの船で龍鳳島に帰り、鬼ヶ島での出来事を長老を始めとする島の人たちに伝えます。長老は、それを聴いてみんなに言います。

「私もよく知らなかった島の歴史や龍鳳神社のことがよくわかった。龍神さんと鳳凰さんへの感謝を忘れていたことが今回の危機を招いたのだと思う。お二方(ふたかた)に感謝し、お二方の幸せを願うことが私たちの幸せにつながるんだ。神社はお願いするところではない。感謝し、神様の幸せを祈る場所だ。一人ひとりが、肝に銘じよう。」

とみんなに言います。

島のみんなが深くうなずきます。

すもも太郎は、その夜に鬼ヶ島から持ち帰った「打ち出の小槌」を振りながら、「すももも、もももも、もものうち」と早口で三回唱えると、体が大きくなる夢を見ます。（実際は、すももは、ももの仲間ではなくバラ科の植物。）

実際にそのとおりすると、夢でみたように体が大きくなりました。

その後、大人になったすもも太郎は龍鳳神社の神主になります。そして、バラの花を手にプラムちゃんにプロポーズ。プラムちゃんに快諾されて結婚し、末永く幸せに暮らしましたとさ。

めでたい。めでたい。おしまい。

2 花咲かんじいさん

花咲き山がシンボルの花咲き村。しかし、気候の変動によって降雨量が減ったことや、たくさんの人が登り花を勝手に摘んだり、土ごと根元からとって持ち帰ったりする人が増えたりしたことから、山に花が咲かなくなってしまいました。登山客が減り、村はさびれていき、若者の流出に悩むようになりました。

ポテトチップスが大好きで、利きポテチ大会では無敵を誇る保手珍村長の息子の、保手珍ポチ太郎がリーダーとなり、町おこし隊が結成されました。話し合いの結果、まず、町のシンボルである花咲き山を復活させないと次の展開は考えられないとの結論に至りました。そして、枯れ木に花を咲かす灰を開発した「花咲かじいさん」が招かれました。

花咲かじいさんは、花咲き山に登り、灰をまいて花を咲かせていきます。また、休みの日は、甘い声で、「家の庭に幸せの花を咲かせてあげるよ。」と言って、村人の家を回ります。村人は、大喜びです。

しかし、その行動をポチ太郎は不審に思います。花を咲かせてもらった家の人が、花咲かじいさんを神様のようにあがめるようになり、花咲かじいさんの態度が、とても大きくなったからです。まるで、宗教団体のカリスマ教祖(きょうそ)きどりです。

ポチ太郎は、花を咲かせてもらった村人の変化の理由を考えました。花粉症(かふんしょう)で外に出る時にマスクとゴーグルをしている人は、花に近づいても変化がないことから、花咲かじいさんの言いなりになっている人は、花粉によってマインドコントロールされているに違いないと推測しました。

父親の保手珍村長に話すと、「それは、大変だ。すぐに村一番の物知りで知恵者の長老のところへ相談に行きなさい。」と言われます。

ポチ太郎は、急いで今は山にこもり仙人のような生活をしている長老の花山大吉を訪ね、事の次第を話し

ます。

長老の花山は、「村に、花咲き村は『はな』のつくじいさんによって危機を迎え、別の『はな』のつくじいさんによって救われる」という言い伝えがある。今がまさにその時じゃ。」と教えてくれました。

ポチ太郎は、その言葉を信じ、町おこし隊のメンバーの協力を得て、急いで「はな」のつくじいさんを探します。

見つけたのは、「華やかじいさん」「離さんじいさん」「鼻水じいさん」「鼻逆さじいさん」「鼻の下長いじいさん」「鼻つまみじいさん」「花火じいさん」「花見じいさん」「花札じいさん」「花丸じいさん」「花咲かんじいさん」です。

ポチ太郎は、直感で、このなかで悪者の「花咲かじいさん」に対抗できるのは、「花咲かんじいさん」だと思いました。ポチ太郎が思ったとおり、花咲かんじいさんは、咲いた花を咲く前にもどし花が咲かないようにする灰を開発したじいさんでした。花が咲く前の植物にふっても効果があります。花粉症に悩む人のために開発した灰です。

花咲かんじいさんは、悪者の花咲かじいさんが咲かせた花に、灰をかけます。マインドコントロールされている人にも、かけます。すると、あら不思議。花は咲く前に、人も元どおりの心にもどりました。

灰は、悪者の花咲かじいさんにもかけました。灰をかぶった悪者の花咲かじいさんは、勝ち目がないと思い、一目散に逃げていきました。

村の救世主の花咲かじいさんに、村長、ポチ太郎、村人が感謝の大拍手を贈ります。

拍手が鳴りやんだとき、花咲かじいさんはみんなに言いました。

「私が開発した、咲いた花をもとに戻せる灰が役に立ってよかった。この灰を開発したために『花咲かじいさん』と呼ばれるようになった

が、私の本当の名前は『花盛(はなさか)んじいさん』だ。しかし、灰をまいて花を盛んに咲かせるのでなく、盛んに花が咲くようにする方法を教えるのが仕事だ。花咲き山をもとの花いっぱいの山にするのは、村人ひとりひとりじゃ。だれかに頼んでしてもらおうと思ったのが間違いじゃ。わかったか。」

ポチ太郎は、「私たちのいい加減な人任せの姿勢が、悪い花咲かじいさんを呼び寄せたのだと思います。自分たちの力で花咲き山を復活させます。どうかご指導よろしくお願いします。」と言って頭を下げます。村人たちも同じように頭を下げます。

花盛んじいさんは、「わかった。それでは、まず、一番大事なことを教えよう。花を育てるのに一番大事なことは、花への真心、愛情だ。花に話しかけて常に花の気持ちを考えながら育てるんじゃ。その上に知識を得て、技能を磨(みが)いてほしい。いいかの。」と言います。

村人は、やる気に満ちた顔でうなずきます。

その後、花咲き山の復活に成功。花咲き村は、花咲き山観光と花の種や苗木(なえぎ)を売る会社を産業の柱に、緑の街として大いに栄えたとさ。めでたし、めでたし。

間1

零和の時代

作詞：コニボシ　作曲：西原多久矢　歌：堀井麻希子

天の川から恵みの雨がふりそそぎ
乙女はこの世によみがえる
尽きせぬオアシスとなり
人々の渇きを癒す命水
零和の時代　始まった

天の星からやさしい光ふりそそぎ
乙女を愛でつつみこむ
尽きせぬ輝きとなり

人々を明るく照らす希望の灯
零和の時代　きらめいた

天の琴から愛の調べが舞い降りて
乙女に春を知らせる
やさしいそのささやきは
人々の心なごます祝い歌
零和の時代広がった

零は　魂の始点　ゆるがない　愛の視点
和は　人々の和音　やわらかな　和み世界
過去は無く　未来はまだ
今を生きる　愛と和みの　零和の時代

裏話

「口は災いのもと」と言いますが、私にとっては「口がチャンスのもと」になりました。

令和の時代になって、カラオケ友達から「令和」がつく曲がリリースされたと聞きました。どんな曲かと、ＤＡＭのカラオケで検索したところ、三曲ありました。とりあえず、聴いてみました。共通するのは、令和の時代がどんな時代になるのか、なってほしいのか歌詞から全くうかがえないこと。落胆しました。

それを私が通っているカラオケ教室の先生に話し、「私なら、令和の時代がどんな時代になってほしいか、歌詞にする。令和を私なら『零和』にし、その言葉に『愛と調和』の意味を込める」。と言いました。

すると、カラオケの先生が「それなら、歌詞にして歌にしたらどうですか。歌詞を書いたら格安で作曲してくれる人を紹介しますよ。」との返答。

私は、口にしたことは実行しなければと思い、歌をつくることにしました。紹介された作曲家はポップスの曲をつくることを基本としているので、作曲を一度もしたことのない私の歌詞は、詩にはなっていても、歌詞にはなっていないとのことでした。

作曲家に、「これだけは作曲しますが、以後はポップスの作詞の基本を守ってください。」と言われました。

そういう経緯でできたのが、この曲です。よく「ジブリの映画音楽のようだ。」と言われます。癒しの曲になったようで、私がアルバイトしている学童保育で夏休みのお昼寝の時間にBGMで流したところ、いつもより子どもの寝つきがよくなりました。

歌は、カラオケの先生の一押しの女性の生徒さんに歌っていただきました。

3　一寸先は闇帽子（やみぼうし）

高校三年生の松果（まつか）は、明るく活発で思いやりがあり、何があってもへっちゃらな顔をして、前向きに考える女の子です。愛助（あいすけ）という優しく男気のある彼氏もいます。

その松果の心に急に不安、怖（おそ）れが渦巻（うずま）くようになり、家から外へ出られなくなりました。かろうじて、愛助だけには会えます。愛助は、松果の母から「真坂（まさか）」と呼ばれる坂道の上の公園で開かれたフリーマーケットで、松果の好みとは程遠（ほどとお）い、魔女がかぶるような黒い帽子を買ってからこうなったこと、なぜか家の中でも一日中その帽子をかぶっていることを聞きました。

愛助は、奇妙・怪奇な現象についてよく知っている町の教会のボクシー牧師に相談しました。

ボクシー牧師は言います。

「帽子は、魔女の魔法がかかった『一寸先は闇帽子』だ。この帽子をかぶると、一寸先でも闇になったように感じる。それで、心に不安や怖れが渦巻くようになる。帽子を脱げばいいのに、逆に帽子への依存が高まるから脱げないんだ。魔女は、もうすぐ松果に魔女の魔法をとく力が備わることを予知し、その力を抑えるために帽子を買わせたに違いない。松果を助けるには、魔女の目の前で帽子を脱ぎ、すぐに魔女の頭にかぶせることが必要だ。」

愛助は、帽子を売っていた魔女を突き止めました。そして、松果に事情を話し、自分と一緒に帽子を魔女の頭にかぶせに行くことを真剣に提案しました。

家での苦しい生活に疲れ果てていた松果は、愛助の真心に触れ、今のままではいけないと思い、勇気を振り絞って魔女のところへ行くことを決意しました。


魔女に会ってすぐ、愛助は松果の帽子を素早くとり、魔女の頭にかぶせようとします。しかし、逆に魔女に帽子を取られ、頭にかぶせられます。頭が締め付けられ、愛助は激痛(げきつう)に顔をゆがめます。

その時、松果の頭に天から柔らかな光が注ぎました。松果は、急に元気になりました。額(ひたい)には、絵のように見える第三の目が浮かび上がっています。その第三の目で帽子を

視ると、帽子はひとりでに愛助の頭から離れ、魔女の頭にかぶさりました。魔女は、松果に怖れていた力が宿ったことを知り、一目散に逃げていきました。

愛助と松果は、泣きながら喜び合いました。松果は、心から愛助にお礼を言いました。

二人で、ボクシー牧師のところにお礼に行くと、牧師は松果に言います。「あなたが身につけたのは、天から授かった愛の力。あなたの使命は、魔力から人々を守ること。どうかその力を、魔力に苦しめられている人のために使ってほしい。」

松果は、深くうなずきます。

一週間後、松果は誕生日を迎えます。愛助からもらったプレゼントを開けると、エンジェルハットが入っていました。愛助は「松果にお似合いの帽子を迷わず買ったよ。」と言います。喜んだ松果がかぶると、帽子の上に一瞬エンジェルが現れ、微笑みました。

おしまい

4　カチナシ山

ここは選別世界のカチコチ中学校です。

選別世界の学校教育の目的は、国や社会に役立つ人間の育成です。「統一性」「単一性」「規律」が重視されています。

カチコチ中学校では、その時代に必要とされる能力を効率よく伸ばすことだけに重きが置かれています。逆にいうと、それに合わない、ついてこられない子どもの個性は無視されるのです。

手先が器用な匠と、植物を育てるのが好きな農は、コンピュータやロボットが嫌いなため、二年続けて落第してしまいました。

カチコチ中学校では、一回落第すると、「セトギワ組」に入れられ、二回落第するとカチナシ山にある「カチナシ分校」に入れられるのです。（カチナシ山は財産として価値がないので、相続放棄されました。それをタダ同然でカチコチ中学校の理事長が手に入れ、カチナシ分校をつくったのです。）

分校の先生も勿論、落第教師です。子ども一人一人の個性、自由な表現を大切にする一本木が、二人の担任になりました。

一本木は、二人に言います。

「カチナシ分校にようこそ。ここに分校がつくられたのは、本校からいうと価値のない生徒を集めて目立たなくするためだ。ここは本校から無視されているから、好きな教育活動ができる。実は、二人が来ることを願っていたんだ。料理、絵、楽器、歌、作文、運動、お笑いが得意な子。力持ちの子、とびきりの笑顔の子はいるんだが、モノを作ったり、植物を育てたりするのが得意な生徒がいなかった。君たちが来て、タレントがそろった。一人一人が個性を発揮し協力して、この訪れる人がいない山をだれもが楽しく過ごせる山にして行こう。この山を宮沢賢治さんが書いた『虔十公園林』のような所にするんだ！　その過程で、君たちに生きて働く学力が自ずと身についていくはずだ。好きなことを好きなだけしてくれ。」

気持ちが沈んでいた二人は、大喜びしました。

匠は、さっそく、みんなの協力を得て山道を整備し、案内板を設置しました。そして、山を訪れた人が休憩したり、弁当を食べたりできる場所を山の木材を利用して作ります。

農は、まず、山道にある樹木を剪定し、樹木の名前とその説明を書いたプレートを吊るしました。その後、みんなの協力を得て、花や野菜、果物作りに取り組みます。

特に力持ちの力丸に、二人は助けられました。それと後二人。作業が思うようにはかどらず、元気がなくなりかけた時に励ましてくれる笑子のとびきりの笑顔に。そして、お笑いが得意な与太郎の半端ないスベリギャグに。

匠は、絵を飾る掲示板や音楽やお笑いができるステージ、バドミントンのコートや卓球台を作りました。

農が作った野菜や果物は、料理が得意な生徒が調理し、美味しい料理になりました。特に、農が偶然見つけた野生の梨は、少し味が薄いものの美味しいデザートに仕上がりました。農が

山の落ち葉をもとにしてつくった特製の肥やしを梨の木にやると、梨の薄い味がちょうどよい濃さになり、抜群の美味しさになりました。

絵が得意な子は、作文が得意な子と協力してカチナシ山の紹介マップを作りました。

こうして、それまで目立たなかったカチナシ山は、休みの日に多くの人々が集う憩いの場になったのです。

ある日、訪れた果物店の店主が梨を絶賛します。「カチナシ山は、実は価値梨山だったんだ。」とおやじギャグを言います。

それを聞いた一本木先生は、

「確かにこの梨は、多くの人が価値を認めると思うが、梨の嫌いな人の中には、価値を認めない人がいると思う。私はこの世界のすべてのものには存在するだけで価値がある

と思う。一般的にいう価値のあるなしは、評価する側が勝手に決めていること。カチナシ分校の生徒の価値はずっとあった。それが、カチコチ中学校の尺度では評価されなかっただけだ。

繰り返しになるが、存在するものには、存在するだけで価値がある。人の場合は、その上に個性を発揮することで、その人自身が自分で評価できる価値をつくればいいと私はいいと思う。自分ファーストでこそいいんだ。大人の役割は、まず子どもの邪魔をしないこと、そして、自分の生きざまを背中で伝えること、さらに子どもの求めに応じて自立に向けた適切なサポートをすること。」

と言います。

カチナシ分校の教育は、いろいろなメディアで取り上げられ、選別世界のカチコチに偏りすぎた教育を見直すきっかけになったとさ。


おしまい。

間 2

レッツビギン！

作詞：コニボシ　作曲：西原多久矢　歌：泉田京香

レッツビギン！　行動　何かを始めよう！
ワクワクすること　自分も人も楽しませよう

レッツビギン！　ファイト　成功信じよう
ナンクルナイサー　誰かが力貸してくれるよ

「面白くない」が口癖　人のせいにしてきたけど
君が人生のヒーロー　ネガティブマンをやっつけよう
人のためは間違いなく自分のためなんだ

役に立って自分大好き人間になろう
今ここでなるんだ　今しかないんだ
レッツビギン！

レッツビギン！　実践　迷わず始めよう
よさを生かすこと　自分も人も喜ばせよう

レッツビギン！　アタック　あるもの生かそう
上手くいくはずだ　誰かが力合わせてくれるよ

「面倒くさい」が口癖　人に頼ってきたけど
君が人生のヒロイン　ポジティブさんになってみよう

人の笑みは間違いなく自分の笑みなんだ

役に立って自信満々人間になろう
今ここでなるんだ　今こそチャンスだ
レッツビギン！

人のためは間違いなく自分のためなんだ
役に立って自分大好き人間になろう
今ここでなるんだ　今しかないんだ
レッツビギン！

裏話

ミニアルバムを作るには、作曲家に最低五曲は歌が必要と言われました。正直、この歌は数を揃えるために書いた歌です。

「零和の時代」は、ポップスの歌の構成に合わないものでした。

作曲家に、「他の歌はポップスの歌の構成に沿ったものを書くように。」と言われていました。

そのとき、たまたまカラオケでビギンの「三線の花」をよく歌っていたので、何となく「レッツビギン！」のタイトルが浮かびました。他の歌はポップスの構成には合いませんが、歌詞をもう書いていました。あるものを再構成するより、ゼロから書いた方が書きやすいと考え、二曲目として作詞の基本を学ぶために書きました。

そのとき、作曲家に伊勢正三さんの「なごり雪」の構成のとおりにすることを指示されました。作曲家は、ポップスの歌の構成の基本の一つを、まず学ばせようとしたのでしょう。「Aメロ　A’メロ　Bメロ　サビ　　Aメロ　A’メロ　Bメロ　サビサビ」という枠組みを与えてくれたので、何とか書けました。

しかし、歌詞の形ができてから、苦しんだことがあります。それは言葉遣いです。私は是非「貢献感（こうけんかん）」という言葉をつかいたかったのですが、歌の歌詞になじまないと作曲家に言われ、しかたなく「役に立つ」という言葉をつかいました。（貢献感は本人が「貢献できた」と感じればいいが、「役に立つ」は本人以外の人の評価が必要。「役に立つ」をつかうと、誰かの評価を得ようとすることを勧めているようになるのが私としては、不本意でした。）

「レッツビギン！」のタイトルが五曲の中で一番教育的なので、歌の内容もそうなりました。しかし、高校生の女の子が、若い声でさわやかに歌ってくれたおかげで、押しつけがましいと感じる人もいる歌詞ですが、いい意味で押しが弱くなってよかったと思います。

5 どっちが凄い「うなぎのぼり 対 鯉のぼり」

うなぎパワーで元気満々のうな丼うな一郎と、錦鯉を飼うことが趣味の色彩のセンスにあふれる鯉錦鯉太郎は、同じ中学校の同級生で宿命のライバルです。普段は互いに意識し過ぎているので、話すことはありません。

しかし、共通の友達の降下退助が、二人がいる場で、

「うなぎのぼりと鯉のぼり、どっちが凄いんだろう?」

と何気なく言ったことから、二人は大論争に。

両者は、一歩も引かず火花をちらします。行きがかり上、退助は行司役をかってでます。

うな一郎が、

「うなぎは、切り立ったような岸壁でも壁面がぬれていれば、垂直に上がれる。皮膚呼吸ができるので、川から出て地面を移動して池に行くこともできるのが凄い。」と言います。

鯉太郎は、

「うなぎは強い流れに逆らって泳ぐ力はない。鯉は持ち前のパワーでまっこう流れに逆らって泳げるのが凄い。」と反撃。

退助は、

「両者の泳ぎ方が違うので、比べられないなあ。」とジャッジします。

鯉太郎は、「鯉は『鯉のぼり』として、空でも泳いでいるから勝ちだ！」と。

それに対し、うな一郎は、

「うなぎは、一生の間に、海から川まで凄い距離を移動する。鯉は空を泳ぐといっても、移動できないだろう。」

と反撃。退助は、「これも比べられないなあ。このままでは、引き分けだ。続けて、

「本筋からずれるが、泳ぎ以外で決着をつけたらどうだろう。」

と提案します。うな一郎は、

「うなぎは蒲焼がうまい。栄養も抜群だ。」

と言います。

それに対し、鯉太郎は、

「鯉のあらいがある。さっぱりした味が好きな人に支持される。好みの問題だ。」

と譲りません。

鯉太郎は続けて、

「鯉はチーム名につかわれている。平島カープ。作者のコニボシが小学校教員時代に担任したドラフト三位の左腕の堀園投手が在籍している。だから、コニボシは熱狂的な阪神タイガースファンだが、カープ女子のファンでもある。うな太郎、作者に逆らうなよ！　うなぎはダサいので、チーム名にはつかわれない。わかったか！」と、自信満々に言います。

うな一郎は、

「ダサいのがなぜ悪い？　うなぎは漫画のキャラクターになっている。ナンセンス漫画の巨匠、おそ松くんや天才バカボンで有名な赤塚不二夫さんが、考えたうなぎ犬だ。作者のコニボシも、赤塚不二夫さんの大ファンだ。だから、この本の最後の方に収録している『脳脳（のうのう）と生きるな！』では、『天才バカボンのパパ』が出てくる。この物語は、コニボシの体験をもとにしているので、とても力が入っている。」と、全く譲りません。

　鯉太郎も、あきらめません。

「鯉は観賞用のカラフルな鯉がいる。ウナギは黒いのしかいない。」と話題を変えます。

うな一郎は、「見た目で判断するな。中身で勝負だ！　うなぎには電気を発生する電気うなぎがいるだろう。電気鯉はいないだろう。」と、言います。

　両者の応酬が止まらないので、退助は、反省しました。

「本当に御免。うなぎと鯉、どっちが凄いか何となく尋ねた私が悪かった。二人の熱い話を聴いていて、愚問だったことを思い知った。どちらも凄い。高いレベルでの引き分けだ。二人のうなぎ、鯉への愛に感動した。だから、決して時間の無駄ではなかった。本当にありがとう。私は、ギャグ漫画を描くのが趣味なので、赤塚先生にあやかり、鯉とうなぎのハイブリッド『鯉うなぎ』の漫画を描こうかな。」と言います。

うな一郎と鯉太郎は、退助の節操のなさにあきれると同時に、ものごとに執着しない大らかさに感動。退助のような生き方が争いを生まない生き方ではないかと思います。

二人とも、自分の主張ばかりして、相手の思いに心をはせなかったことを深く反省し、退助に感謝しました。

退助は、「論争の途中から自分のせいで二人の間が険悪になるのではと心配していたが、二人がわかり合えてよかった。それが一番うれしい。」と笑顔で言いました。チャンチャン。　おしまい。

6　中年ジャンプ

中年期は、早い遅いはありますが、多くの人が、自分の仕事や人生の先が見えてきて限界を感じたり、今の自分でいいのかと疑問を感じたりする時です。また、体力の低下、体の不調を感じたりするときです。がむしゃらにがんばってきた人ほど、この傾向が強くなります。いわゆる中年クライシスです。

会社で営業をしている年中(としなか)弾(はずむ)も、その時期を迎えた一人です。頑張るので、営業成績は同期の中でずっといいほうでした。上司に認められ、それなりに昇進し、自信も持っていました。しかし、最近、上司と考えが合わず、ストレスがたまるようになりました。趣味のマラソンでストレスを発散していましたが、練習のし過ぎのためか腰に痛みを感じるようになりました。

しかし、マラソン練習をやめなかったため、椎間板ヘルニアになりました。痛み止めの注射をして、コルセットを腰に巻いて仕事を何とかこなしていましたが、ついに限界を迎えます。もう手術をするしかないと思っていたら、前の職場で世話になった先輩に街で偶然会いました。先輩は、年中の腰を心配して言います。「怪しそうに見えるが、腕が確かなカイロプラクティックの神手（かみて）先生をよく知っているので、紹介しようか？」

年中は、藁（わら）をもつかむ思いで頼みます。早速治療院を訪れた年中は、神手先生の診察の後、フルマラソンが走れるまでになるか聞いてみました。

先生は、「治療を継続し、必要なサプリメントをきちんと飲めば、三年後には、フルマラソンも走れるようになる。」と答えます。さらに「先をあせらず、この治療期間を自分を見つめ直す機会にしたらいいのでは。」と助言します。

年中は考えました。私は自分の考えこそ正しいと頑（かたく）なに考えていたから、上司に腹を立てマラソンに依存してしまった。今は無理を重ねて悲鳴を上げた体のケアを一番に考えようと思い至ります。その間は、仕事は二番にして役割を淡々と果たしながら、

今までおろそかにしてきた読書に力を入れ、これからの生き方を考えよう、と思うようになりました。

腰がだんだんよくなってくると、神手先生は、リハビリとしてカヌーや自転車を勧めてくれました。カヌーは年中の趣味になり、仲間もできました。立ち漕ぎでサーフボードに乗る「スタンドアップパドルボード」もするようになりました。走れなくても、できるスポーツはたくさんあることがわかりました。腰を痛めたことで、世界が広がりました。

読書では、人生や幸せについて追究しました。心理学に始まり、宗教学、哲学、スピリチュアル、理論物理学と読書の幅が広がりました。分野が違うのにそこに共通性を見出せるようになったのです。そして、自分がよく生きるために働いてこなかったこと、そのために周りに振り回されていたことに気づきました。年中は、自分にとってよく生きるために働くとは、お客さんの笑顔が自分の笑顔になるように働くことだと思うようになりました。

三年たち、神手先生にフルマラソンに向けた練習の許可を得ました。

先生は、

「カヌーやスタンドアップパドルボードに打ち込んできたので、体幹はばっちり鍛えられている。脚の筋肉を鍛えれば大丈夫。」

と太鼓判を押しました。

年中は、心からお礼を言った後、続けます。

「今回の腰の故障は、私の人生においてとても有意義なものでした。体も心も沈みましたが、それはジャンプする前に膝を曲げて体を沈めるのと同じことでした。青年時代までは、焦って前へ前へと跳ぼうとしていましたが、今は上に跳び、高いところから人生を俯瞰(ふかん)して見られるようになったと思います。これぞ名付けて『中年ジャンプ』。少年ジャンプ創刊からのファン（『男一匹ガキ大将』『トイレット博士』『あらし!三匹』が大好きだった。）の私が『中年ジャンプ』できるとは、

感慨深いものがあります。次は最強中年ジャンプをめざそうかな。笑」

　それを聴いて、神手先生は、

「話してくれたこと、とてもいい話で、私も一役買えてとても嬉しいが、一つ疑問がある。年中さんは若く見えるが、何歳になる？」

と尋ねます。

　年中が、最近六十歳になったことを伝えると、神手先生は

「六十歳は、理髪店でシルバー割引を受けられる立派な老年だ。年中さんは、中年ジャンプでなく、老年ジャンプだな。笑」

チャンチャン。

ここからは、蛇足です。

「老年ジャンプ」について、自分の考えを綴ります。老年は、あの世に近いので、成仏した霊の思いに学ぶことが大切だと思います。

成仏した霊は守護霊に代表されるように、この世に生きる人に貢献することが至高の幸せです。他者への貢献感が自分の喜び、幸せ。他者への貢献が自分のためと思うことが、老年ジャンプの肝だと老年を迎えた私ことコニボシは思っています。

所ジョージさん司会のテレビ番組「ポツンと一軒家」では、自分の個性・得意を生かし、山の上にみんなが楽しめる公園や施設などを造ったお年寄りが何人も紹介されています。老年ジャンプしている人は、目立ちませんが身の回りにけっこういることが分かり嬉しくなりました。私も、自分の個性・得意を生かして、先輩方に続きたいと強く思っています。

間3

ソウルバディ

作詞：コニボシ　作曲：西原多久矢　歌：カトウヒデキ

偶然か必然か
アンナとの突然の出会い
目が合った瞬間
お互いの時間が止まった
そのあとは一気にスピードアップ

こんな出会いは今までなかった
つないだ手のその感触
自分の手と同じだ
ソウルバディか
時空を超え巡り合った

Ａｈ　波動が同じの魂のパートナー
七色の愛　そのものになるんだ
心の濁りを浄(きよ)め合うパートナー
永遠の幸せを育もう

きらめいた輝いた
アンナとのときめきの出会い
なつかしいつぶらな目
微笑みに心が震えた
魂が眼神(めがみ)にすいこまれていく
こんな出会いはこれからもうない
うれしいのにその眼差しが
不安をかきたてるが
ソウルバディさ
真心で恐れをなくす

Ａｈ　互いが引き合う魂のパートナー
完全な愛　そのものになるんだ
心の曇りを磨き合うパートナー
あふれ出る幸せを育もう

Ａｈ　波動が同じの魂のパートナー
七色の愛　そのものになるんだ
心の濁りを浄(きよ)め合うパートナー
永遠の幸せを育もう

互いが引き合う魂のパートナー
完全な愛　そのものになるんだ
心の曇りを磨き合うパートナー
あふれ出る幸せを育もう

ソウルバディだ

裏話

一番親しく仲のいい相棒の体験と、本屋でたまたま目にとまって買った「ソウルバディ」という本の内容がシンクロしてびっくり。

歌詞の内容以外で、ソウルバディの関係になる条件は、「年がかなり離れているか、国籍が違う」「氏名、生年月日、住所等で意味のあるシンクロシティがある。」「男性の方が女性的で、女性の方が男性的」です。

それらを歌詞に入れることはできませんでしたが、実話と本の内容をミックスし、ソウルバディが惹かれ合い、愛し合うようになる過程に焦点を当て、歌詞にしました。内容がまとまっていたからか、作曲家に一番訂正を要求されなかった歌です。私が歌いたかったのですが、歌の音域が広く無理でした。

優しい歌い方の、私よりずっと歌唱力のあるアマチュアのシンガーソングライターの方に歌っていただきました。

蛇足かもしれませんが、芸能界で私が「ソウルバディ」だと思うカップルは、加藤茶夫妻です。

7　ガリゴリ君の成長

ここは、アイス星。星全体が氷に覆われています。そこに住んでいるアイス星人は、クールで合理的です。しかし、自分の考えに固執し、人の意見に耳をかさない頑固なところもあります。

ガリゴリ君は、その中でも特別、格別に頑固で、納得がいかなかったら、相手が誰でも自分の意見をごり押しします。それがガリゴリ君の体の硬さと体温の低さに表れています。

ガリゴリ君は、アイス星の防衛隊に属する隊員です。屈強さは隊員一です。氷を自由に武器に使えるアイスマンに変身できます。とても堅いイメージのガリゴリ君ですが、密かに思いを寄せる女性がいます。同じ防衛隊員で看護師をしているシャーベットです。彼女の前では、気持ちが高ぶり体温が上がって汗をびっしょりかいてしまいます。告白したいのですが、目の前に行くと何も言えなくなります。

平和な日々が続いていたアイス星ですが、侵略者が現れます。ファイヤー司令官率いる炎星人(ほのおせいじん)です。炎星人は、火の玉のような乗り物から火炎放射攻撃を仕掛けてきました。アイス星は平和の星なので、反撃はしません。専守防衛です。氷の鎧兜に身を包んだ防衛隊員が、氷バリアーを町に張り巡らせて守ります。氷バリアーのおかげで炎から星を守ることができました。

　ガリゴリ君は、

「氷バリアーがある限り、大丈夫だ！」

と叫びます。しかし、隊長の氷室凍助は、

「今のは試しの攻撃だ。こちらの氷バリアーの強さを調べに来たんだ。次回はもっと激しい攻撃になる。対策を考えないと。とりあえず、氷バリアーの能力を高めよう。ただ、それだけではだめだ。きっとファイヤー司令官自らがファイヤーマンに変身して氷バリアーをつくる装置を壊しに来る。それを防がなければ。」と、言います。それを聴いてガリゴリ君は、

「私がアイスマンに変身し、ファイヤーマンを

追っ払います。氷刀、氷手裏剣、氷玉鉄砲の武器があります。アルマジロのように大きな氷の塊になり、体当たりもできます。」

と、迎撃を志願します。

　ガリゴリ君は、自信満々です。しかし、氷室隊長は、

「無理だ。相手は炎に変身できるファイヤーマン。氷の攻撃は、突き抜けるだけ。そもそもスピードが違う。侵略すること火の如(ごと)しだ。アイスマンでは、歯が立たん。次元が違う。」

と言います。ガリゴリ君は、

「では、どうしたら？」

と隊長に詰め寄りますが、隊長に策はありません。

「困った。困った。コマネチ。」

と寒いおやじギャグでボケます。

　ガリゴリ君は、ムッとして言います。

「ふざけないでください。私たちは、隊長に一番困っています。『困った。困った。こまどり姉妹、小松政夫、小松方正、小松みどり、小松菜。』です。」

そのとき、シャーベットが、

「もう、アイス星の守り神、ミルク宇治金時かき氷神に頼るしかないと思うわ。神主(かんぬし)さんに神のお告げを聴いてもらうのよ。」

と進言します。

さっそく、ガリゴリ君たちは、守護神を祭っている「かさ氷神社」へ行きます。

神主の口から伝えられた神のお告げは、

「ガリゴリ君が、山奥の深い谷の地熱がある場所で修業し、氷だけでなく液体の水にも、気体の水蒸気にも変身できるウォーターマンになるのだ。それなら、ファイヤーマンをかく乱できる。最後は水になり全力を出せば、ファイヤーマンの火を消せる。」でした。

これを聴いたガリゴリ君は納得しません。相手が神でも自分の意見を言います。

「神様というより、この話を作っている作者のコニボシに言いたい。ウォーターマンになるのはいいが、話の展開から修業する時間はないだろう。それに新しい力を身に付けるために修業するのは、前作『パロディー物語を書こう!』の『長州他力』ですでに書いただろう。」

名指しされた作者コニボシは、

「そのとおり。登場人物が育ってきたのがうれしいよ。ガリゴリ君はどうしたらいいと思う?」

と尋ねます。ガリゴリ君は、

「それは簡単だ。氷を水にするんだろう。私の右の首にある大きなほくろを取ればいい。氷から点を取れば、水になるだろう。でも、ほくろを手術で取るのは痛いし、時間がかかるからやめてくれ。ガムテープをぺちゃっと貼ればいい。」

と、言います。コニボシは、

「何か吉本新喜劇のようになってきたな。私は、川畑泰史座長のようになっているな。でも、私はばかばかしいのも、川畑座長の芸風も大好きなのでいいだろう。意見を採用!」と、言います。

こうして、ガリゴリ君は作者のコニボシを説き伏せ、すぐにウォーターマンになり、ファイ

ヤーマンを撃退し、アイス星を守りました。シャーベットとも、つき合えるようになりました。アイスマンからウォーターマンになり、能力的には大成長。しかし、人格的にはまだまだです。ここは、ガリゴリ君が絶対頭の上がらないシャーベットの教育に期待しよう！　おしまい。

話が終わったと思ったら、別の登場人物から、コニボシにクレームが入ります。それはファイヤーマン。

「おい、コニボシ。俺が最後に撃退されるのは、役回りなのでしかたないが、俺の戦闘シーンの記述が全くないのはなぜだ？　納得がいかん。」と強い口調で迫ります。

コニボシは、

「失礼。お怒りは、ごもっとも。ガリゴリ君にいろいろ言われて、緊迫した戦闘シーンが書けなくなった。物語の前半でファイヤーマンのかっこいいカットを入れたのが、せめてものお詫びの印。ファイヤーマン殿、どうかお許しを。」

と言って頭を下げました。　本当におしまい！

8　ゆるぷあ物語

西香幸保（にしこうゆきやす）は、五十九歳のときに要介護の両親を相次いで亡くし、心にぽっかり穴が空いていました。

しかし、介護から解放されて、自分のしたかった本の出版や歌詞を書いてCDを出したりすることができ、元気を取り戻しました。

やっと人生を楽しめるようになったと思った矢先、古傷の左肩の痛みに続き、右肩が五十肩に、さらに趣味のマラソンで酷使してきた左膝の痛みも出ました。肩の痛みは、接骨院に通いすぐによくなりましたが、左膝は曲げられなくなり、歩く時も引きずらなければならなくなりました。

名医の石屋（いしや）医師に

「すぐには治らない。気長なリハビリが必要だ。」と言われました。

石屋医師に指示されたリハビリをします。幸保はアウトドア派なので、室内での単調なリハビリでは、もの足りません。マラソンをやめてから続けていたウォーキングができなくなり、ストレスが溜まります。運動不足で、お腹がぽっこりでてきたことも気になっていました。

ある日、家の近くのスイミングスクールの前を車で通り過ぎた時、「普通のウォーキングができないなら、水中ウォーキングだ！」と思い、すぐに一人で気ままに歩けるフリーコースに入会しました。

室内プールは、一年中、水温や室内の気温が一定に保たれていて、快適そのものです。特に南側のコースは、晴れた日には日が差し込み、温かいし、コースがきらきらと輝き、まるで極楽です。ゆるゆるぷあぷあなプールが幸保はすっかり気に入りました。週に四、五日通い、一時間歩くのが習慣になりました。ロードでの

マラソン練習に比べると、楽で愉しく、なぜもっと早く水中ウォークを始めなかったのかと思いました。水中ウォークのおかげで左膝も順調に回復し、普通のウォーキングもできるようになりました。

そんな、ある日のこと。幸保が窓から入る日光を浴びながら気持ちよく水中ウォーキングしている時、急に眠気に襲われました。気が付くと水中に。しかし、なぜか息苦しくありません。それに、何かとても狭いなあと思った時、聞いたことのある声がしました。

「私がわかる?」

幸保は、

「聞いたことがあるな。そうだ、若い時の母の声だ。」

と、答えます。母は

「わかってくれたのね。うれしいわ。」

と声が弾みます。

幸保と母は会話を続けます。

幸保「でも、なぜ若い時の母の声が聞こえるの？　ここは、どこ？」
母「お前が生まれる前の私のお腹の中だよ。だから、若い声で話しかけたの。」
幸保「そんなバカな。」
母「プールの中が私のお腹の中のような、ゆるぷあな環境だから、おまえはワープしたのよ。」
幸保「わかったよ。確かに母さんの声だから信じるよ。せっかく会えたから言う。とにかく謝りたい。母さんが認知症になってから、つらく当たったこと。認知症のことは、理解しているのに、毎日のことになると、つい感情的になり、売り言葉に買い言葉でかかわってしまったこと。それと、自分が小さいとき、母さんが気難しい婆さんにいじめられていたのを、それが当然のようにだまって見ていたこと。本当にごめんなさい。」
母「そんなこと気にしなくていいよ。私は、今この世にいない。だから、自信を持って言える。私が生きているときに体験したことは、自分が生まれる前に決めていたこと。自我のなくなった今の私からみると、すべてが必要で貴重な体験。今、反省しているのは、その体験から十分に学べなかったことがあること。お前は私を選んでお腹の中に入ってくれた。それが本当に嬉しい。それだけで、十分。私こそ、お前がせっかく反抗してくれたのに、その気持ちを汲み取らず、私の思うようにコントロールしようとしてしまったこと。今は、そんな私に負けず、自分を押し通したお前に感謝している。ありがとう。」

幸保「そんな話が聴けるなんて。母さんありがとう。」

母「幸保、そろそろお別れの時だ。」

幸保「母さん、最後に一つ教えてよ。本当は自分で考えなければならないことだけど、私はこれからどう生きればいい？」

母「そんなこと聞かなくても、おまえはプールで学んで実行しているだろう。ゆるぷあ、楽に愉しく生きればいい。これは、おまえに限らず、令和の時代に生きるみん

なに言えること。今は、時代の変わり目で、ギクシャク、不安定になっている。今までどおりの生き方を続けようとする人たちにとっては、大変な時代と言える。例えれば、嵐の時の海面のような。変化を怖れず、変化に乗っかって、ゆるぷあで生きれば嵐の中でも穏やかな環境にいる深海魚のように穏やかな気持ちで生きられる。目の前の現象は、自分の心の投影だよ。ゆるぷあで生きてね！　さよなら。」

母親の声が消えた時、幸保は水中で目が覚め水を飲みました。

「ごぼっ！」

幸保は、自分が眠っていたのが一瞬だったのが信じられません。どう考えても、おぼれ死ぬほどの時間がたっていたように感じられました。

幸保が体験した「ファンタジー」いや、「世にも奇妙な物語」。

おしまい！

間 4

骨だけの傘

作詞：コニボシ　作曲：西原多久矢　歌：コニボシ

雨傘と勘違いして買った日傘
捨てられず夏の晴れた日にさして歩く
破れて骨だけに
太陽照りつける
突き刺す日差しを感じない心と体
「その傘役にたってないぞ。変じゃ。大丈夫かのう?」
「む。うるさいな。どこも変でない。傘は放さない」

守ろう　いつまでも　骨だけの傘
守ろう　続けよう　今の生活
安定こそが一番大切なこと

雨傘と勘違いして買った日傘
捨てられず冬の雨の日もさして歩く
破れて骨だけに
冷たい雨が降る
体温奪われ限界の体と心

「どうしてそんな傘をさすの？　あなたは裸の王様？」
「は。そのとおり。僕は変なんだ。傘を手放そう」

さよなら　ありがとう　骨だけの傘

さよなら　骨だけの今の生活
骨にすがらず骨のある男になる

バイバイ　ありがとう　骨だけの傘
バイバイ　骨なしの弱い性格
覚悟を決めて骨のある男に
骨細でいい骨のある男になる

裏話

確か二〇一八年の春のことだと記憶していますが、東京で刃物を持った男にスクールバスが襲われ、子どもや保護者が死傷した事件がありました。

学童保育のアルバイトをしている私は、強い危機感を持ちました。学童保育の部屋に刃物を持った男が襲ってきたら、どう対処すればいいか？　丸腰で刃物に立ち向かう勇気は、私にはありません。学童保育の部屋には刺股（さすまた）がありますが、大きく普段じゃまになるので、入り口横の倉庫に置いています。急に襲われたら、取りに行く時間はありません。

いろいろ考え、私が至った結論は、子ども一人一人が「雨傘、日傘、護身」の多目的な傘を常にランドセルに携帯することです。ランドセルは、部屋の横一面のロッカーが置き場所です。急に襲われても、どれかの傘を取る時間はあります。つまり、傘は子どもというより大人が持って刃物男に対処することを一番に考えたものです。

私は、すぐ子ども用の傘を何種類か買い、材質、大きさ等どう改良すればいいか考えようと、傘の骨をじっくりみました。そのときに、なぜか心に浮かんだのが「骨だけの傘」のコンセプトです。自分の生き方が、役に立たない骨だけの傘を握りしめているように思えたのです。

多目的傘のアイデアも考え、二つの傘の会社の社長に手紙を書き、製品化をお願いしたのですが、護身用とはいえ、武器になる傘を責任能力のない小学生に持たせることが問題視され、受け入れられませんでした。その回答に私は納得しました。

そして、本当は思わぬ副産物の「骨だけの傘」の歌詞を書くために、子ども用の多目的傘を考えたのではないかと思いました。

ちなみに、この歌詞は、オリジナリティがあると作曲家から一番評価されました。この歌の内容を心を込めて歌えるのは私だということで、下手ですが私が歌っています。

9　ペチュの縁結び

茂木内三（もてきないぞう）は、結婚式場に勤める冴えない中年社員です。学生時代まではそれなりに女性にもて、交際期間はとても短いものの彼女ができていました。ところが、就職してからぜんぜんもてなくなりました。

ずっと彼女がほしいと思っていたので、積極的に合コンに参加したり、披露宴に参加した新婦の友人に積極的に声をかけたりするのですが、相手にされません。

友達からは、名前をもじられて「モテナイ君」とか「モテキナイ君」と呼ばれたりしています。会社の同僚には、それに加えて、経験を積んでも仕事ぶりが甘いので、「モッテナイ君」とも陰口をたたかれています。

そんなモテナイ君がある冬の日に、車で自宅に帰ったときのこと

です。

　車庫に車を入れようとしたとき、物置の軒下に咲いているピンクと白のツートンのペチュニアの花に目がとまりました。

　モテナイ君は、

「ここにあったペチュニアは、秋に花が咲き終わった後、家族が全部抜いたはずなのに、なぜ残っているのだろう？　しかも、真冬なのに花を咲かせて。」

とひとり言を言います。

　その花を見て、モテナイ君は、新入社員時代を思い出しました。初めに命じられた仕事は、式場の玄関のプランターに三種類の花を植えることです。

　当時の教育係、お局（つぼね）様と呼ばれていた坪根（つぼね）さんは、「花の世話ができないようでは、お客様への細やかなサービスはできない。苗を買うのでなく、種から育てた苗をプランターに植えなさい。もちろん、種、土、肥料、道具代は、会社がもちます。」

と言います。

　種から育てることを命じられ、モテナイ君は困りました。今まで、一度も種から花を育てたことがないし、他にもたくさん仕事があるので時間がありません。モテナイ君は、帰ってから花づくりが趣味の母親に相談しました。

母親は、

「花の種類、どんな種、土、肥料を買えばいいか教えてあげる。勤務時間にできないなら、家で苗まで育てればいい。世話の仕方も教えてあげるから。」

と優しく言ってくれました。

モテナイ君は、母親に言われたとおり、マリーゴールド、サルビア、ペチュニアの種を買い、自宅で種時(たねま)きをしました。発芽した花の赤ちゃんを見て、モテナイ君は感動。

「かわいい。絶対苗まで育てて会社のプラン

ターに植えるからね。」と花の芽に話しかけます。

モテナイ君は、会社の事務仕事よりずっとやる気を出して、花と対話しながら心を込めて育てました。

三種類の花の苗を会社のプランターに植えると、元気よく育ちたくさんの花を咲かせました。

訪れた花好きのお客さんに、

「この花には、育てた人の愛情を感じる。だから、こんなに生き生きと咲いている。」

と言われたことを、しみじみと思い出しました。

そして、それは今は亡き母のおかげだと思った時、「親孝行したいときに親はなし。」の言葉が心に浮かびました。

モテナイ君はその時の花の一つ、ペチュニアの子孫が、今も自宅で花を咲かせ続けてくれていることがうれしくなりました。ペチュニアは見た目がマリーゴールドやサルビアより弱そうなのに、実際は寒さにも強いたくましい花だったのです。

モテナイ君はできるだけ長く咲いてほしいと思い、ペチュニアに心を込めて肥料をやったり、水をやったりしました。すると、どうでしょう。

春が来ると、いつもの年以上にたくさんのペチュニアの花が咲きました。モテナイ君はうれしくなり、前と同じように肥料や水をやります。晴れた日が続き、モテナイ君が出勤前の早朝に水やりをしようと外に出た時、ペチュニアの花がラッパになり、喜びのファンファーレを吹いてくれました。モテナイ君はびっくりします。

ファンファーレが終わってすぐ、花の方から声がします。

「私はペチュニアの花の精霊のペチュ。あなたが、新入社員のとき、私たちペチュニアを心を込めて育ててくれたか

ら、私たちは毎年物置の軒下に花を咲かせてきた。軒下は、強い風が当たらず、冷たい霜が降りないのはいいが、雨が当たらず苦しかった。それでも、モテナイ君に気付いてほしくて毎年咲いた。咲き続けられたのは、水が足りない時に水やりをしてくれたあなたのお母さんのお陰。そのお母さんが亡くなっていよいよピンチに。だから、私がペチュニアになって、冬でも咲き続けたの。モテナイ君が私に気付き、世話をしてくれた時は、本当に嬉しかったわ。ありがとう。」

モテナイ君は、

「ずっと気付かなくて御免。でも、どうしてそこまでして僕に気付いてほしかったの？」と尋ねます。

ペチュは、

「モテナイ君は、本当に鈍感ね。だから、もてないのよ。理由は、私があなたを愛したからよ。勘違いしないでね。私たち精霊の愛はピュアな無償の愛。モテナイ君の幸せを考える愛よ。あなたにぴったりの女性との縁結びがしたかったのよ。」

と答えます。

モテナイ君は、

「ありがとう。嬉しいけど、せっかく紹介してくれても、きっとすぐに振られると思う。」と投げやりな返答をします。

　ペチュは、

「私をだれだと思っているの。花の精霊よ。縁結びは、役目ではないけれど、人を見る目と先を見る目はあるのよ。あなたにぴったりの人は、一人しかいないので、知らせにきたのよ。今回がラストチャンスよ。」

と、強く言います。

　モテナイ君は、

「ぴったりの人とチャンスがあるのは、すごくうれしい。相手はどんな人？」

と乗り気になります。

　ペチュは、

「それは、花を愛する人。ペチュニアのように見た目は優しいが、芯の強い人。その子は、あなたが育てたペチュニアの子孫を、今も心を込めて育てている、あなたのお母さんの知り合いの娘さんなの。あなたが育てたペチュニアの苗をお母さんがその子のお母さんにあげたのよ。隣町に住むつぶらな瞳がチャームポイントのアラサー美人、杏乃（あんの）さんよ。杏乃さんは、もうすぐ親友の引っ越し祝いで、この町に来て、モテナイ君の自宅横の道を通る。その時に、自宅のペチュニアに目がとまるから、そこにタイミングよく声をかけるのよ。これが、恋のきっかけよ。少々の失敗は私がフォローするから大丈夫。もてようとせず、ありのままの自分で接するのよ。わかった。」

と、教えます。

　モモテナイ君は、

「ここまできたら、信じます。よろしくお願いします。」

と頼み、すっかりやる気に。

　モテナイ君は、ペチュの予言どおりに、杏乃さ

んと出会います。杏乃さんに受け入れられ、しばらくしてつき合うようになりました。そして、出会ってから二年後に結婚しました。結婚してすぐ、人気テレビ番組「新婚さん　おこしやす！」に二人で出演しました。二人のなれそめの話が、視聴者に受け、モテナイ君が勤める結婚式場が大繁盛しました。

　モテナイ君は、子どもを産んでから体重が増え気味の杏乃さんの尻にひかれながらも、とても幸せに暮らしました。ペチュ、本当にありがとう！

おしまい。

10 竜虎ドラガース

ヤキュウ星にある竜虎島に、タイガ国とドラゴ国という国がありました。二つの国は、ライバル国です。国民ファーストのよい国づくりを切磋琢磨しているのです。いがみ合っているわけではないので、互いの国の存在を認め合い、対等な関係を築いています。ですから、活発に交流し、学び合っています。

ところが、平和な島に危機が迫ります。少し離れたところにあるジャンボ大陸のガリバ国のヨミヨリ大統領が、タイガ国に「要求を呑まなければ攻める。」と脅してきたのです。ヤキュウ星の暦で、ちょうど球暦二〇二〇年の春のことです。

侵略の目的は、人手不足になった召使いの獲得です。ガリバ国はお金持ちの国で、身の回りのことは他の国から無理やり捕らえてきてマインドコントロールした召使いにすべてさせています。召使いが足りなくなると、他の国へ捕らえにいくのです。竜虎島は、海を隔てているので、今まで攻められませんでした。しかし、タイガ国の人は性格が穏やかで真面目なので、召使いにぴったりだとわかり、侵略の対象になったのです。ガリバ国は、無条件で召使いになる人を差し出すようタイガ国に要求しました。返事の猶予は、たった一週間。

タイガ国のハンセン首相は、すぐにドラゴ国のホスーノ首相に相談します。その結果、タイガ国には今、将軍や参謀がいないので、ドラゴ国の人望厚い百戦錬磨のヤーナ将軍と、シミール主席参謀を始めとする配下の参謀をタイガ国に派遣することが決まります。両首脳は、ヤーナ将軍ならタイガ国の将来性豊かな若い防衛隊員を率い、ガリバ国の侵攻を防ぐことができると考えたのです。新しい防衛隊は「竜虎ドラガース」と名付けられました。

ヤーナ将軍は、かつて交換留学で、タイガ国の防衛隊に所属していました。情報戦と人材登用に抜群の手腕を発揮した伝説のノムロン将軍を尊敬し、薫陶（くんとう）を受けました。ですから、タイガ国愛があり、タイガ国の防衛隊の内情を熟知しています。しかし、一週間では、さすがに迎撃態勢（げいげきたいせい）はできません。ヤーナ将軍は、タイガ国のノバース外務大臣に時間稼ぎを頼みます。

しかし、ヨミヨリ大統領も経験豊富、タイガ国のねらいはお見通しです。

結局、猶予の一週間は変わりませんでした。

ガリバ国の兵士たちは、体が大きくパワーがあります。しかも、人を傷つけずに捕らえるテクノロジーも持っています。率いるのは、青大将と呼ばれている坊ちゃんのハロー将軍です。優秀な参謀たちが将軍の脇を固め、勇敢な九人の隊長が率いる強力な部隊が組織されています。

1　スタンガン部隊　　2　催涙弾部隊　　3　麻酔爆弾部隊
4　マインドコントロール光線部隊　　5　幻覚光線部隊
6　投網砲部隊　　7　マジックハンド部隊　　8　人間吸引機部隊
9　鳥もち式人間捕獲機部隊

完璧な人を捕らえる布陣です。

ヤーナ将軍は、考えました。パワーとテクノロジーに対抗できるのは、竜虎島の「愛と調和」しかない。タイガ国の兵士が心を愛で満たし、調和させたら、大自然が味方になってくれる。

ヤーナ将軍は、その素養、能力がある兵士九人をすぐさま選び、隊長に抜擢しました。

1　光隊（太陽が味方）　　2　炎隊（西洋ドラゴンが味方）
3　風隊（風神が味方）　　4　水隊（竜神が味方）
5　雪隊（雪の神が味方）　　6　雷隊（雷神が味方）
7　霧隊（雲の神が味方）　　8　地震隊（ナマズ神が味方）

9　蜘蛛隊（スパイダー神が味方）

隊長たちは、それぞれの自然を味方につける素養、能力はありますが、今の段階ではその能力を思うようにいつでも発揮することはできません。一週間足らずで、力をアップできるはずもなく、ぶっつけ本番となってしまいました。

タイガ国が要求を呑まなかったので、ガリバ国の軍隊が大船団で押し寄せてきます。そして、ハロー将軍率いる九部隊が、タイガ国の防衛の本拠地「格子戸園」と目と鼻の先の「鳴王浜」に上陸します。ハロー将軍は、少しにやけた自信満々な顔をしながら余裕しゃくしゃくで、九部隊に突撃を命じます。両国

の戦いの火ぶたが切って落とされました。

　タイガ国はスポーツがさかんで、防衛隊員は全員体を鍛えていますが、体が小さく武器も持っていません。鎧兜に盾、相手を取り押さえる刺股だけです。タイガ国の防衛隊員は、ガリバ国のパワーとテクノロジーの前になすすべもなく、次々に捕らえられていきます。タイガ国の九人の隊長は、それぞれが頼りとする自然の力で対抗しようとするのですが、思うように自然が味方してくれません。九人は焦ります。

　その時、ヤーナ将軍が大声で呼びかけます。

「君たちは、味方を捕らえる敵を憎んでいるだろう。その心を改めよ。相手を悪と見るな！　自分たちの心に『愛と調和』があるか試してくれている悪役と見よ！　急に愛することは無理でも、感謝して相手の存在を認めよ！　そして、仲間を愛し、戦いを楽しめ！」

　そのヤーノ将軍の言葉が、神様の声に聞こえ、九人の隊長は覚醒しました。ゾーンに入り、それぞれの自然を味方につけます。大反撃の開始です。

　まず、霧で味方を隠します。

　次に、光で敵の目を眩ませ、炎で後退させます。

続いて、地震で転倒させた後は、雷でしびれさせ、すぐさま雨、雪で体温を奪います。

さらに、竜巻で空に舞い上げ、仕上げは特大の蜘蛛の糸のネットの上に落とし一網打尽です。ハロー将軍は、何が何だかわからず、放心状態になります。

ヤーナ将軍は、九人の隊長の鮮やかな連携をとびっきりの笑顔と「ヤーノガッツ」で称賛します。敵を蜘蛛の糸のネットで一網打尽にした隊長たちの中のキャプテン「糸井原隊長」は、代表してヤーナ将軍と握手。そして、キューピ隊長やニシッピ隊長、ウメーキ隊長、チカポンセ隊長らが中心となり、ヤーナ監督の胴上げが行われました。その後は、

みんなで、タイガ国の国歌「ロッキーおろし」を熱唱しました。

大勝利の報を受け、タイガ国のハンセン首相はトレードマークのテンガロンハットを放り投げ、「ウィーッ」と左手を突き挙げて大喜びしました。そして、すぐに船に乗っているガリバ国のヨミヨリ大統領に終戦協定を結ぶことを打診し、条件を突きつけました。

「捕虜の兵士を返す条件は、三つ。一つ目は、二度と他国を攻めないこと。二つ目は、今捕らえている召使いは、全員本国に返すこと。自分の身の回りのことは、自分でするようガリバ国の国民に教育すること。」

完敗したヨミヨリ大統領は、潔く了承しました。

その後、竜虎島は愛と調和の島として永く栄えましたとさ。

おしまい。

ここからは、蛇足です。
阪神タイガースのファンの方だけ読んでください。笑
「竜虎ドラガース」の話のように阪神タイガースが優勝したら、香川県高松市の中央通りを昭和五十九年式のダイハツ　ミラ「阪神タイガース優勝祈念車」で、阪神タイガースの歌（六甲おろし）を流しながら勝手にパレードすることを阪神タイガースファンの方々に約束します。

ダイハツ　ミラ
阪神タイガース優勝祈念車

自分王国

作詞：コニボシ　作曲：西原多久矢　歌：コニボシ

よく生きる　なりたい自分目指そう　誓って日々精進したが
あれあれ　何かが狂ってしまった　他人（ひと）が敷いたレールに乗っていた
嫌だよ　そんな人生　だめだよ　僕は自分らしく生きるんだ
叫んだが　誰の耳にも　響かず　長いものにまかれてしまった

悲しいよ　自分の思いは　どうしても　外の世界には届かない
僕の眼に映る現実は　外からの　力がつくるんだ

いつしか　暗い迷路に　入った　光を求めて　右往左往

どうしても　挙句の果てには　必ず　袋小路に入り込んでた
もう駄目　喉がからから　限界だ　お腹はぺしゃんこだ
その刹那(せつな)　神が現れて言った「本当の自分を思い出せ」

「私はおまえ自身だ　迷路の出口は　おまえが知ってる
なぜならおまえこそが　自分王国の王様　思いのまま　何でもできる」と

そうなんだ　全ての豊かさ　始めから　自分の魂にあったんだよ
つくるんだ　自分の世界をすばらしい　自分王国を
わかったよ　全ての幸せ　これからは自分の心次第なんだ
愛だけのピュアな波動を　送るんだ　自分王国に

裏話

この歌は、私が歌いました。作詞もレコーディングも凄く苦しんだので、五曲のなかで一番心に残る歌になりました。

この歌は、私の半生をとても短い物語にしたものがもとになっています。それを歌詞の構成にしようとしましたが、なかなかできません。それで、作曲家に「内容に合った曲を作るので、それに合わせて詞を書いてください。」と言われました。

できた曲を聴いたのですが、音楽が小学校の時に五段階の二だった私が、曲を聴いてそれに合った詞をつけるのは無理だと思いました。それで、音楽が得意の友達に曲から、文節ごとに何字の言葉を入れたら曲に合うか聴き取ってもらい、書き込めば歌詞ができるマスをつくってもらいました。それでも、字数に合う言葉を考えるのに苦労しました。「あれあれ」「ぺしゃんこ」のような言葉と、「右往左往」「袋小路」のような言葉が混在しているのは、そのためです。

でも、今となっては、この一貫性のない言葉遣いが、考え方に一貫性のない（よくいえば、柔軟な。笑）私によく合っているので、「これでこそ　いいのだ！」と思っています。

作詞できてほっとしたのもつかの間、今度はレコーディングで苦しみました。今までに歌ったことのないメロディーに苦戦するだけでなく、作曲家に発声が根本的に駄目だと言われ、パニックになりました。私には、ブレスでないところでも、声を一瞬止める癖があったのです。

特に、長年染みついた発声の仕方を改めるのが難しく、本当に困りました。二回レコーディングしたのですが、二回目も思うように歌えず、最後は疲労困憊。それが歌に表れています。曲がブルースなのでまだ救われていると思いますが、いかがでしょうか。

11　イボ兄弟

　コニーは、マラソンが趣味の中年男です。

　ある日、マラソン練習中に、左足の小指の中敷きに接している部分に軽い痛みを感じました。押さえると、やはり軽い痛みを感じます。走るのに支障はありませんが、コニーは気になり出すとそのままにできない性格です。

　家の近くの皮膚科の藪(やぶ)病院に、初めて行きました。名前が少し気になりましたが、藪(やぶ)は、一九九〇年代、最下位が定位置の阪神タイガースを支えたエースの名字。タイガースファンのコニーは、気を取り直しました。

診察室に入ると、椰子最新喜劇のミスターオクラさんのような先生が、患部を一瞬診て、

「イボです。患部を削って、液体窒素を当てて取りましょう。」

と言い、看護師さんに指示します。

三ヶ月くらいでよくなると言われましたが、二ヶ月を超えても全くよくなりません。

コニーは、

「本当に後一ヶ月くらいで治るのですか?」と看護師さんに尋ねます。

看護師さんは、

「完全には治りませんよ。よくなったと思っても、またできます。」

と、はっきり答えます。

コニーは、唖然としました。何のために時間とお金をつかって、痛い目をしているのか？ と思いました。

コニーは、藪病院に通うのをやめ、家から遠いが、優しくて名医と評判の一押皮膚科に行くことにしました。

一押先生は、診察して
「ウイルス性のイボ、全治六ヶ月くらい。完全にウイルスを除去しないと、すぐ増殖するので、一週間に一回必ず治療すること。」

と、コニーに伝えました。

除去の仕方は前の病院と同じでしたが、先生が必ず治療してくれたので、コニーは治るような気がしました。コニーは、まじめに治療に通いました。六ヶ月くらいたって、患部深く潜っていたイボがポロッと取れました。

しかし、一押先生は、

「様子をみないと、治ったかどうかはわからない。」

と言います。

残念ながら、様子を見ているときにイボが復活しました。また治療。今度は三ヶ月でイボがポロッと取れました。

先生は、イボがとれた後の患部の状態から、

「今度は完治の可能性が高い。」

と言ってくれました。

　また、しばらく様子を見ることになりました。


　様子を見ているときに、コニーは新型インフルエンザに感染してしまいました。

　コニーは、

「イボのウイルスを退治したら、今度はインフルエンザウイルスか。ついてないなあ。」と独り言。

　インフルエンザがやっと治ったコニー。左足の小指に軽い痛みを感じます。

「ええっ。また。」と思わず言うと、あら不思議、小指から声が聞こえました。

「俺は、イボ太郎。お前が困っていたから帰って来たよ。」

　コニーは驚きながらも、

「そんなことは、頼んでいない。」

と、はっきり言います。イボ太郎は、

「俺の思いやりだ。インフルエンザになり、苦しんでいただろう。あれは、俺がいなくなったからだ。もちろん例外もあるが、ウイルスは、人間よりはずっと仁義を守る。俺が、いるときは他のウイルスは遠慮しておまえの体に侵入しなかった。いなくなったから入って増殖したんだ。わかったか？　兄弟。」

と、説明します。コニーは、

「言いたいことは分かったが、最後の兄弟というのが分からない。お前に兄弟と呼ばれる筋合いはない。」

と少し怒ったように言います。イボ太郎は、答えます。

「俺の先々代はおまえの父親にいたウイルスだ。それが、お前の母親の妹に移り、そしてお前に移った。だから、お前と俺は異母兄弟だ。」

コニーは、

「論理的におかしく納得できないが、お前たちが私たち家族につきまとってきたことはよくわかった。」

と言います。イボ太郎は、

「兄弟につきまとうなんて言われたくなかった。俺はお前と共生したかった。おまえが俺を消そうとしたとき、本当に悲しかった。だから、看護師の口を借りて、治らないと言ったんだ。俺が、お前の左足の小指にいてもマラソンは普通にできただろう。インフルエンザにかかるのとは、大違いだろう。」

と真剣に言います。コニーは、

「何となく分かってきた。もう少しウイルスのことを教えてくれ。お前を完全に除去したのに、お前はどうしてまた私の小指に帰って来られたんだ?」

と尋ねます。イボ太郎は、説明します。

「それは、ウイルスがブラックホールを通って違う次元に行き、ホワイトホールを通って帰って来られるからだ。ウイルスは、人間ができないことができるんだ。」

　コニーは
「ウイルスは人間よりもずっと下等なものだと思っていたが、高い次元に存在しているんだな、すごい!」

と言います。続けてコニーは聞きました。

「ところで、人間はウイルスとどう付き合っていけばいいのか教えてくれ。」

イボ太郎は答えます。

「多くの人間たちは無意識で俺たちを呼んでおいて、来たら共生したいと思っている俺たちを怖れたり、戦おうとしたりする。戦う手段がない時でも、戦うという人がいる。俺には意味がわからない。戦う手段がないのに相手を挑発してどうするんだ。人間はウイルスに勝てない。なぜなら、数が圧倒的に多いからだ。数こそ力なんだ。人間がウイルスを呼ぶのは、多くの人間が潜在的に変化を求めているからだ。自分たちでは変化を起こせないから、俺たちに頼るんだ。『変態ドクター』とご自身で名乗っておられる松久正（まつひさただし）先生が、『新型ウイルスが現れた意味を考え、愛、感謝の心を持つことが大切。』とおっしゃっていることはそのとおりだ。ウイルスの俺が

言うのだから間違いない。キリストの『汝の敵を愛せよ。』、浄土真宗の開祖の親鸞上人の絶対他力の教え『すべては、阿弥陀如来のありがたいはからい。』表現は違うが、同じようなことを言っているだろう。これからは、この考えに基づいて生きていこうとする人と、現状にしがみつきたい人の世界が分かれていくと思うよ。」

コニーは、

「私にはとても難しい話だったけれど、イボ太郎の熱い思いとともにウイルスとの付き合い方や、これからの生き方のヒントが分かったような気がするよ。ありがとう。これまでの数々の失礼を、どうか許してくれ。兄弟。」と言いました。イボ太郎は、笑顔で言います。

「やっと俺のことを、兄弟と呼んでくれたな。とてもうれしいよ。お前の左足の小指、これから軽い痛みが続くけれど、どうか末永くよろしくな。」

おしまい。

12 脳脳と生きるな！

くたびれた中年、納田能太は、会社で大きなミスの責任のすべてを上司になすりつけられ、会社をクビになりました。妻にも逃げられ、茫然自失。「何もしたくない」と思うようになったのです。

しかし、しばらくして「南の島に行って、ゆっくりしたい。」と、ふと思いました。旅行先は、テレビで旅番組を見て一度は行きたいと思っていた沖縄の岩垣島に決定。泊まる宿は、友達から立地も設備もスタッフも三拍子そろってとてもいいと聞いていた、安宿の「美ら宿岩垣島」。くせは強いが旅人思いでアイデアマンの横手さんと、「ママさん」と呼ばれ、みんなに慕われている桜見さんが共同経営する宿です。

納田は、島に着いてすぐ宿に向かいました。宿は、町の中心地の市場や土産物屋、飲食店が並ぶ「ユーグレノモール」というアーケード街にありました。

宿の入り口の横には机があり、そこに五十代半ばくらいのステテコをはき、腹巻とねじり鉢巻きをした胡散臭いちょび髭の男性が座っていました。机の前には、「占い。五百円。当たるかな？　占い師　葉後」の表示が。納田は、占いのような非科学的なものは嫌いなのに、なぜかとても気になり、声をかけます。

「どんな占いですか？」葉後は、

「生年月日で占う統計的な四柱推命占いが中心だが、私は直感を大事にしている。」と答えます。納田は、さらに尋ねます。

「当たるかな？　は、何ですか？　自信がないから五百円ですか？」

　葉後は、少し気分を害したのか、語気を強めて言います。

「未来は、枝分かれしておる。占い師は、一

番可能性の高い結果を言うだけ。それを客がどうとらえ、実際にどう行動するかで未来は決まる。だから、当たるかな？　は、当たり前じゃ。まあ、占い師で大儲けしようと思えば、客をマインドコントロールするくらい占い師に依存させることが必要だが、私は客に自立を求める占い師だ。というか、占い師は、もうとっくにやめている。私のスタイルでは、職業としては無理だ。今は、旅行に来て泊まっている『美ら宿岩垣島』の宿泊代の足しにしようと横手社長の許しを得て、ここで占いをしている。こんなことを許す人は、ほとんどいない。横手社長には、とても感謝しておる。お前が質問するから、ついしゃべりすぎた。いや、初めて会ったのに、何故かとても懐かしく思えたんだ。ところで、占いをしてもらいたいのか？」

納田は、

「私も初対面なのに、懐かしい気持ちになっていろいろと質問してしまいました。実は、今、人生に迷っています。占い、よろしくお願いします。」と返します。

葉後は、はっきり言いました。

「お前は、魂（たましい）というか、本当の自分とかけ離れた人生を送っているな。世間の常識やこれまで刷り込まれた潜在意識に縛られている。本当の自分を大切にしないから、人生で人に大切にされない。自分が蒔いた種じゃ。」納田は、びっくりして言います。

「人に大切にされない。それ、とても当たっています。」

それに対し、葉後は

「脳脳と生きるのを改めよ。そんなことでは、チャ子ちゃんに叱られるぞ！」

と、きつく言います。納田は気色ばんで反論します。

「えっ。何を言うのですか？　私は時代に取り残されないよう、積極的に情報、知識も得たし、自己啓発の本もたくさん読んだし、自腹を切ってセミナーにも参加したし、資格も取ったし、常に自分を高めるために勉強しました。目標をはっきり定め、一生懸命努力しました。脳脳とは生きてきていません。」

葉後は、あきれて言います。

「やっぱり脳脳と生きてきたんだな。お前がしてきたことが問題だと言っているんだ。脳ばかり使うと、分析的論理的な思考だけにとらわれ、理屈ばかり並べるようになる。だから、常識でしか物事を考えられなくなる。お前は、井の中の蛙、回転木馬になっている。それは、本当の自分を捨てて、わけのわからない世間の奴隷になることだ！　これだけ言えば十分だろう。五百円分の仕事はしただろう。いつもなら、ここで終わりだが、不思議だ。お前には、何故かサービスしたくなる。これからどうしたらいいかは、今日お前が立ち寄る先にヒントがある。それに気付くかどうかはお前次第だ。」

納田は、五百円払い、宿にチェックインした後、近くの岩垣牛入りのコロッケが売りの食堂に夕食を食べに行きます。定食を頼んで待っていると、ＢＧＭに昔のポップスの歌が。聴いたことはありますが、曲名が浮かびません。

店の人に聞くと、
「キャンディーズの『ハートのエースが出てこない』です。店主が、メンバーのミキの熱狂的なファンだったんです。」
と教えてくれました。

納田は、まさか、この歌は関係ないだろうと思いましたが、心に占い師の「葉後」が浮かびます。

納田は叫びます。

「葉後は、『はあと』だ！」

　その瞬間、地震もこないのに、テーブル横の本棚から漫画の単行本が落ちます。それは、赤塚不二夫さんの「天才バカボン」。拾って、何気なく開けたページには、バカボンのパパが大声で「これでこそ、いいのだ！」という場面が。納田は、あれバカボンのパパの決まり文句は「これでいいのだ！」のはずなのに、この漫画には「こそ」が入っているのが不思議だ、と思います。

　納田は、「ハート」と「バカボンのパパ」の両方に関連のある本が探したくなりました。宿の人に、離島としては大き

い本屋があると聞き、行ってみました。すると、一冊だけありました。本のタイトルは、「ハートで生きることこそ、いいのだ！　ヘンな人、万歳！」でした。

その本には「ハートは、心臓の場所にあり本当の自分である魂を包みサポートするもの。ハートで生きると、直感が働き、思いやりに満ち、安心感を感じる。自分軸で生きるので、人の評価が全く気にならなくなる。普通なら腹が立つことを言われても、ベストの対処ができる。そして、その結果を感謝して受け入れられる。そんな人は、世間的に見ると、間違いなくかなりヘンな人。」との記述がありました。

納田は、自分の生きる方向性がおぼろげながら見えてきたと思え、嬉しくなりました。葉後占い師にお礼を言おうと走って宿に帰りましたが、入り口の横には机がないし、誰もいません。

宿に入り、横手社長に葉後占い師のことを聞きました。

社長は不思議そうに言います。

「そんな名前の人は知らないし、占いをすることを許可してもいない。ただ、最近、宿の前で南十字星から来たという五十歳半ばのステテコに腹巻、ねじり鉢巻きの、琉球泡盛（りゅうきゅうあわもり）の三合瓶を持って、スマップの『ライオンハート』を歌いながら、千鳥足で歩いている変なおじさんには会ったけど。」

納田は思いました。葉後占い師は、私のハートだったんだ。だから、お互い懐かしさを感じたんだ。納田はハートファーストで生き、一流のヘンな人になることを、その夜に見た南十字星に誓いました。

おしまい。

13 間(ま)、いいか⁉

突込間太郎(つっこみまたろう)は、小さな時からお笑いが大好きで、将来は絶対お笑い芸人になろうと思っていました。

高校の時は、落語研究会に所属し、ボランティアで福祉施設を回り、腕を磨きました。何よりも人の笑顔を見るのが好きでした。

卒業してすぐ、椰子最興行(やしもっと)の新人オーディションに合格し、新喜劇の座員になりました。名字のとおり、突っ込みの鋭さを生かした芸風でのし上がろうとしたのですが、椰子最興行には、突っ込みが

得意な辻餅(つじもち)座長、藪蚊(やぶか)座長、スッチョン座長が君臨していて、つけ入る隙がありません。

そこで、間太郎は笑わせるのではなく、自然体の笑われる芸風のミスターオクラ師匠に弟子入りします。しかし、何も教えてくれません。オクラ師匠は、才能、個性で勝負する天才肌だったので、何を教えていいかわからなかったのです。間太郎は思いました。「オクラ師匠は、存在自体がお笑いで、台詞を噛もうが、忘れようが、困って笑おうが、声が出てなかろうが、お客さんは笑ってくれる。料理に例えたら、めったに食べられない高級魚の刺身だ。素材だけで勝負できるカリスマ性がある。他の追随を許さない孤高の小さな巨人だ。」

間太郎は、逆立ちしても同じような芸風は身に付けられないと思いました。ただ、オクラ師匠に師事することで、自分は突っ込みでなくボケを目指すのが間違いなく合っていると確信しました。


それで、オクラ師匠の弟子をやめて、リアクション芸でならした、元座長の重鎮、外場勝丼(そとばかつどん)師匠に弟子入りを志願しました。間太郎は、これまでの経緯を話し、

「私は外場師匠のような芸風のボケになりたいです。弟子にしてください。」

と頼みます。

　しかし、外場師匠は、

「私は、もう第一線を退いている。私の芸風を受け継いでいるのは、畑畑座長だ。私は、ボケた後、自分の世界に入って笑わせるのが得意だったが、畑畑座長は、敢えて自分を押し出さず、座員を光らそうと常に考えている。座員から罵詈雑言の集中砲火を浴び、バタバタしても、話をまとめる力量が凄い。そこが、突っ込みの得意な座長と違う畑畑座長の持ち味だ。畑畑座長は、若いころは引っ込み思案で、ぱっとしなかったので、出世が遅れた。しかし、その分、下積みの苦労をよく知っている。だから、突っ込みが得意な座長とは一味も二味も違う、受けるときに抜群の間がある。その間で、入れ込みすぎる若手を落ち着かせたり、若手の失敗をうまくフォローしたりしている。

　私は、突っ込みが得意な座長は、アマチュアレスリングの世界チャンピオンに見える。それに対し、畑畑座長は、ボロくそにやられてタジタジになっているように見えて、実際は試合全体をコントロールしてチャンピオンベルトを絶対に放さないプロレスのチャンピオンに見える。昭和の時代にアメリカのＮＷＡの世界チャンピオンだった『ハーリーレイス』を彷彿させる余裕たっぷりの芸術的な受け身の上手さがある。これは、あくまでも、私の勝手な私見だが。」

と、畑畑座長のことを絶賛します。

　そして、続けます。

「おまえは、名字は『突込』だが、名前は『間太郎』だろう。共演者の突っ込みに対する間を磨け。そのために、畑畑座長の弟子になるんだ。おれが紹介してやる。」

　間太郎は、外場師匠の紹介で、畑畑座長の弟子になりました。

　畑畑座長は、言います。

「すぐにオリジナルのギャグを考えるんだ。相手に会わすだけなら、カメレオン、風見鶏(かざみどり)だ。相手の突っ込みを弾力的に受け止め、次の展開につなげる流行ではなく、不易のギャグをつくるんだ。期限は、半年だ。いいな。楽しみにしているぞ。」

　師匠に難しすぎる宿題をもらい、間太郎は困り果てました。半年の間、いくら考えても、いいギャグが思いつきません。それで、自分には才能がないと思い込み、畑畑座長に破門してもらおうと思い詰めました。間太郎は、ピュアな男です。

　退団の決意をし、座長に伝えに行きました。間太郎は、

「この半年間、奮闘努力しましたが、結局ギャグはできませんでした。私には才能が無いと思い知りました。あんなになりたかった新喜劇の座員ですが、なぜか今はやめても、『間（ま）、いいか。』と思えるのです。私を一人前の芸人に育てようと親身に御指導くださったのに、期待に応えられず申し訳ありません。やめさせていただきます。本当にお世話になりました。」

と言い、深々と頭を下げます。

それを聞いた畑畑座長は、膝を叩いて言います。

「それだ！　それだ！　間（ま）、いいか!?　をメインのギャグにするんだ。普通は絶対に受け入れられない場面で、その言葉を大真面目に心から、たと

えお客さんに受け入れられなくても、言い続けるんだ。決して、ぶれてはいけない。わかったか。これは、私の至上命令だ。」

間太郎は、師匠の意図がはっきりとはわかりませんでしたが、心が伝わったので、素直に新喜劇の中で言います。

共演者は、最初リアクションに困りましたが、

「意味がわかりません。そんなんで本当にいいんですか？　頭、おかしくなってませんか？」

と乗り突っ込みを入れます。それに対し、ある日、間太郎は、

「僕の心は宇宙よりも広いんだ。幸せになる人がいれば、それでいいんだ。それこそが私の最高の幸せだ！」

と思わず言います。間太郎が、覚醒した瞬間です。

それを客席で観劇していた、文化人サークルに属する日本を代表する作家、宗教家、心理学者、哲学者、理論物理学者は胸をうたれます。そして、こぞって新聞、雑誌、テレビ、ネット、自分の著書で間太郎のギャグを大絶賛します。

サークルの代表のノーデル賞を受賞した理論物理学者、湯河原(ゆかわら)教授は言います。

「間、いいか!? のギャグは、とても地味だが、今まで聴いたギャグのなかで最高だと思う。お笑いの神がいるとしたら、その領域に入る言葉だ。このギャグは、二とおりの意味を含んでいるのがすばらしい。一つ目は、! の『間、いいか。』自分や相手の言動やその結果を善悪などの規準で評価するのでなく、いっさい差をとらず、つまり差別せず、無条件に受けとめている。これは、悟った人の言葉だ。『悟る』とは、『差取る』。それは、神というか宇宙意志のすべての存在を無条件に愛する心と同じだ。仏教で言えば、『無分別智』だ。

二つ目は、? の『間、いいか』。自分や相手の台詞の間が、それでよかったかの確認。お笑いの視点だ。しかし、それにとどまらず、人生のあらゆる場面におけるタイミング、間合いを確認する言葉につながる。間抜け、間延び、間が悪いをなくそうとする『ジャスト、いい加減、適当、妥当』など、物事の調和を志向することばだ。

このように、『間、いいか!?』は、『愛と調和』の言葉だ。このとても崇高で含蓄のある言葉を間太郎さんは、自然体で心の底から言っている。これは、新しい時代の到来を告げる言葉であり、呼ぶ言葉だ。だから、私たちの心に響くんだ。このギャグは、口先だけでまねしてもだめだ、言う人も、聞く人も選ぶんだ。」

著名な文化人たちに認められ、「間、いいか!?」は、その年の「深いい言葉大賞」のグランプリに輝きました。

間太郎は、このギャグに込められた心のとおり芸を磨き、後輩の育成にも力を注ぎました。

その後、新しく開発した、とびっきりのお茶目な笑顔で言う「チャンチャチャ、チャラーンポーン、チョンチョコチン。パチョーン。」の擬音と表情とアクションの無国籍なギャグが万人に受け、乞われて世界のお笑い界にも進出しました。そして、「日本が誇る世界のエンターティナー」と称されるようになったとさ。

おしまい。

※「桃太郎」のパロディー物語は、もう一つあります。格闘技が好きな方は、是非お読みください。

番外1 太もも太郎

太もも太郎は、自転車競技で、オリンピックを目指していた「太もも太（ふと）」と「太もも」の間に長男として生まれました。二人のDNAを受け継ぎ、立派な太ももを持っています。

太もも太郎は、両親が大好きです。だから、両親の夢をかなえようと、小学生の時から自転車競技に打ち込みます。

しかし、太もも太郎は、本当はキックボクシングの選手になるのが夢なので、両親には「息抜きのため」とウソをつき、自転車だけでなく空手も習っていました。

いつか両親に夢を打ち明けたかったのですが、自転車競技で実績を上げる中で、両親の期待は膨らみます。結局、両親の気持ちを汲み、高校からは自転車競技一本に打ち込み、力をつけていきます。

一緒に空手を習っていた親友の「もも肉次朗」は、中学卒業と同時にキックボクシングの世界に飛び込みます。次朗は、キックボクシングが大好きで、センスもずば抜けていた太郎がキックボクシングをしないのが残念でたまりません。

何年かたち、太もも太郎は自転車競技のオリンピック候補選手に、もも肉次朗はキックボクシングで世界チャンピオンに挑戦できるランキングの選手になります。

次朗はチャンスをつかみ、世界チャンピオン「モモンガイチロー」への挑戦権を得ます。ところが、次朗は、チャンピオンに挑戦する前に、「モモンガイチロー」の弟分（おとうとぶん）の「モモジリジロー」との練習試合で、ジローのなりふり構わない、レフリーを欺（あざむ）く反則攻撃を受け、とどめは得意技の「急降下モモジリヒップドロップ」を受けて敗戦。負けるだけでなく、引退しなければならないほどの負傷をしました。

もも肉次朗が所属するジムの会長の「モモンチ三太夫（さんだゆう）」は、

「モモジリジローが汚いファイトをしたのは、モモンガイチローの差し金だ。私は、それが許せない。キックボクサーになって、もも肉次朗の無念を晴らしてくれないだろうか。イチローに勝てるのは、太もも太郎、君しかいない。もも肉次朗も、心からそれを望んでいる。」

と、太もも太郎に頼みます。

太郎は、悩みました。両親のためか、親友のためか。しかし、意外に答えは、すぐに出ました。

「キックボクサーになろう。誰かのためも大切だが、一番大切なのは、自分がどちらをしたいかだ。」

と思いました。

太郎は、キックボクサーになることを決めます。悩む立場になり、逆に吹っ切れたのです。

両親も、もも次朗のことが大好きだし、これまで見たことのない太もも太郎のやる気に満ちた顔を見て、本心がわかり、親のエゴを押し付けていたことを反省し、理解を示しました。

太郎は、モモンチ三太夫の教えにそって、猛練習します。順調に勝利を重ね、モモンガイチローに挑戦できるまでランキングを上げました。そして、モモンチ三太夫にイチローへの挑戦の決意を伝えます。

自転車種目でのオリンピック出場に向けて、血のにじむような練習をしてきたので、パワーを前面に出して蹴れば、同じ階級でも自分よりウエイトの軽いモモンガイチローは、ガードをしていても吹っ飛ぶだろうと思っていました。

しかし、モモンチ三太夫は、

「お前の蹴りは、確かに重く破壊力は抜群だが、キレがないので、スピード抜群のイチローは難なくかわす。お前は、自転車ばかりに乗っていたので、筋肉は素晴らしいが、骨が弱い。それがキックにスピード、キレがない原因だ」

とはっきり言います。続けて、

「カルシウムやマグネシウムなどの栄養素を十分にとっていても、骨は刺激を入れんと強くならん。骨強化のスペシャルジャンプボードを作るので、毎日そこで跳んで骨を強化するんだ！」

と伝えました。

太もも太郎は、自分のため、親友のために単調な練習を一生懸命しました。それと並行し、必殺技「稲妻(いなずま)ニーアタック」も身につけました。

いよいよ、モモンガイチローとの決戦の日を迎えました。

キレを増したとはいえ、スピードにさらに磨きをかけたイチローに稲妻ニーアタックは、なかなか当たりません。あせる太もも太郎に、セコンドについたもも肉次朗が経験を生かしてアドバイスします。

「キャリヤもスピードにも勝るモモンガイチローに単調な攻撃は通じない。お笑いで、いきなり落ちを言うようなものだ。前振りが必要だ。それも、一つでなく三つはいる。おれが一緒に空手を習っているとき、お前が天性の才能を持っていると思ったのは、ふざけてしていた意表をつく『あっち向いてホイ！　パンチ』『かえる跳びパンチ』『カンガルーキック』を受けた時だ。百戦錬磨のモモンガイチローに、普通のテクニックは通用しない。しかし、この三つの攻撃をイチローは受けたことがないので、三つ連続でするると、必ずイチローは面食らい一瞬の隙ができるはずだ。そこをつき、渾身の稲妻ニーアタックを炸裂させるのだ！　イチローに同じ攻撃は二度と通用しない。ワンチャンスに全神経を集中させるのだ！」と。

太もも太郎は、その助言を受け入れ、チャンスをつくるため、敢えて通用するはずもない正攻法で力いっぱい攻めます。それが、モモンガイチローの油断を生みます。

イチローは、「太もも太郎の攻撃は、すべてわかった。余裕でよけられる。そろそろ私の必殺技『フライング、モモンガクロスチョップ』をお見舞いしようか。この勝負、もらった！」と思った瞬間、太郎の意表を突いた「あっち向いてホイ！　パンチ」「かえる跳びパンチ」「カンガルーキック」の三連続攻撃です。面食らったモモンガイチローは、よけるのが精一杯。

そこに間髪入れず、稲妻ニーアタックが炸裂。太郎は、見事に逆転のKO勝ちしました。

その後に、大どんでん返し。すべてが明らかに。

もも肉太郎がモモンガイチローの弟弟子のモモンガジローのきたない攻撃を受け、引退に追い込まれるような怪我をしたのがオオウソ。すべては、もも肉次朗、モモンガイチ

ロー、モモジリジローが話し合って行った計略。モモンチ三太夫も賛同して協力したというわけ。

しかし、そのおかげで太もも太郎は、小さいころから夢見ていたキックボクシングの世界チャンピオンに。

モモンガイチローは言います。

「今回は完敗だ。おれは、強いライバルがほしかった。もも肉次朗も強いが、次朗から、一番強いのは太もも太郎だと聞き、戦ってみたくなった。今回は負けたが、次は勝つ。闘志溌溂だ。もも肉次朗、モモジリジローもお前を倒すために燃えるに違いない。お前も、自分らしく生きられる。キックボクシング界も盛り上がる。いいことばかりだ。だまして悪かったが、どうか俺たちの気持ちをわかってくれ。」と。

太もも太郎は、

「これぞ、真の嘘から出た誠。だまされてこんなうれしい気持ちになったのは初めてだ。三人には心から感謝するよ。本当にありがとう。でも、勝負には負けないぞ！」

と答えます。

二人はリング上でがっちり握手しました。

リングサイドでは、それを、もも肉次朗とモモジリジロー、太もも太郎の両親、モモンチ三太夫の五人が満面の笑みで眺めています。

これ以来、太もも太郎、もも肉次朗、モモンガイチロー、モモジリジローの四人は切磋琢磨しながら、正々堂々と戦い、四天王時代と呼ばれる黄金時代を築きました。

キックボクシングにとって代わられたのは、相撲道です。

優勝回数歴代ナンバーワンの横綱「百呆山」が、自分の地位を守るために横綱の品格に欠ける汚い相撲に終始したので、相撲道ファンの多くが正々堂々と戦うキックボクシングに流れたのです。

「太もも太郎」は、おしまい！

ですが、この後、番外　間　1「アンナ　ツンデレラ」を挟んで、番外　2「目覚めよ！　百呆山」を掲載します。大相撲に興味のある方は、是非お読みください。

番外間1

アンナ　ツンデレラ

作詞　コニボシ　作曲　未定　歌　コニボシ（予定）

※

ツンツンデレデレ　ツンツンデレデレ
アンナは北風と太陽
ありがとう
厳しく優しく　僕を育てる
愛(いと)しの　アンナツンデレラ

僕は追いかけていく恋が好き
ツンツンアンナは魅力的

ツンツンでも嫌われないか　僕を試す
分かっていてもつらくなる
いつも笑顔を見たいから　心に寄り添う
誰かのためのつらい過去が　ツンツンしたんだね
僕は心の扉に　真心を送るよ

僕は甘えてくれる恋も好き
デレデレアンナ可愛すぎる
デレデレして喜ばれるか　僕を試す
分かっていても嬉しいな
いつも笑顔を見たいから　心を見つめる
僕への愛とときめきが　デレデレにしたんだね
だから心の扉を　開けてくれたんだ

ツンツンデレデレ　ツンツンデレデレ
アンナは北風と太陽
最高さ
厳しく優しく　僕を鍛える
魅惑の　アンナツンデラ

※　繰り返し

裏話

間3の「ソウルバディ」の続きの話として作詞しました。

アンナはツンデレなので、「アンナとツンデレをくっつけ、「アンナ　カレリーナ」の感覚で「アンナ　ツンデレラ」と名付けました。

そういえば、前作「パロディー物語を書こう!」の表紙の絵を描いてくれたり、「ツンデレラ」を寄稿してくれたりした放課後児童クラブ所属の当時小学校2年生の女の子「メーサン」もツンデレでした。特に本音を言い当てられた時は本当にツンツン、そして何かをねだるときはデレデレ。その女の子との思い出も歌詞に反映され、「アンナ　ツンデレラ」になったように思います。

作詞したと言っても、作曲を頼んで曲をつけてもらうには、かなり直さないといけないと思います。正直、番外物語にも「間」が入れたくて、完成してない詞を「間に合わせ」で入れました。私が歌おうと思っているので、どんな曲になるかとても楽しみです。

知り合いの歌の好きな中年女性に歌詞を見せたところ「昭和っぽい歌ですね。」と言われました。「昭和のど真ん中に生まれた私が書いたので、そうなったか。」と思いました。曲も昭和っぽいメロディーにしたら詞に合うし私が歌いやすいので、いいかもです。

番外 2 「目覚めよ！ 百呆山」

相撲道の横綱の百呆山は、それまでの横綱の優勝回数を大きく塗り替えた大横綱です。駆け出しの頃は、身長はあるもの体が細く、パワーがありませんでした。しかし、血のにじむような努力で体を鍛え、相撲の基礎・基本を身に付け、その上に自分の強みを生かした技を磨き、大横綱にのぼりつめたのです。

若いころの輝きが鮮烈なだけに、今の百呆山の姿は、目の肥えた相撲道ファンには大顰蹙です。自分の地位を守るために、反則すれすれの汚い相撲を当たり前のようにとっているからです。横綱になる条件は、「大紐の中で、品格と力量が抜群であること」です。

今までの矜持のある横綱なら、引退を表明しています。しかし、百呆山は、貧しく周りからバカにされた生い立ちもあって、「手に入れた地位、栄光は絶対放さない。」の論理に染まっています。それで、相撲道の人気が上がっていればまだいいのですが、百呆山が多くの相撲道ファンに嫌われたために、今では太もも太郎を中心に四天王が切磋琢磨するキックボクシングの人気に負けています。

過激な相撲道ファンは、横綱を推挙する横綱審議会に
「なぜ、百呆山のような品格のない力士を横綱に推挙したのか?」

と糾弾します。

　横綱審議会は、

「推挙した当時は、横綱らしい相撲がとれていた。」

と釈明します。それに対し、過激なファンは、

「残念だ。見る目がなさすぎる。著名人だからの理由で『池ない坊』の茶人など、相撲のことを全く知らない委員を何人も入れたからだ!」

と厳しく言い放ちます。

　横綱審議会は、汚名返上のため、「目覚めよ! 百呆山」のプロジェクトを極秘に始動します。

　役三陳会長は、

「百呆山を批判する人も多いが、一方で奔放な性格、勝負強さを評価し、支持する人もいる。しかし、このままでは百呆山への支持は、きっとなくなる。百呆山を、元の品格と力量のある横綱

に再生することが、一番相撲道協会のためになる。今のままでは、キックボクシングに水をあけられるばかりだ。百呆山を目覚めさせる力士の育成が、どうしても必要だ。」

と話し、親方連中に檄をとばします。

それに、応えたのが、元横綱「天嵐電」の天岩戸親方です。親方は、優勝五回、相次ぐ怪我で全盛期は短かったものの、鋭い出足から左前みつをとっての一気の寄りは、玄人筋から「ミスター電車道」と呼ばれ、「全盛期は、最強。」との声がもっぱらです。

いろいろな対戦相手の技のコピーをし、それをうまく組み合わせて勝つ、あざとい横綱の偉勘文と、「天偉勘時代」を築きました。そんな天岩戸親方ですから、今の百呆山の相撲は論外です。

天岩戸親方は、

「横綱は、力量に先行して品格が求められる。百呆山は、今でも結果を出しているから、力は認めるが、何せ相撲に品格がない。百呆山を目覚めさせる力士を絶対育成する。」

と、やる気満々です。

天岩戸親方は、部屋のスカウトに、

「小柄でもいいから、闘志に溢れ、いかり肩でリーチと小力があり、柔道経験者の大内刈りと内股を得意とする青年を見つけてほしい。」
と、超難題の条件を出して依頼します。

スカウトは奔走し、大学の相撲部で活躍している条件に合う青年を奇跡的に見つけます。その青年は、内掛け名人と言われた釜玉うどん県出身の名大紐「琴電ケ浜」の遠縁にあたります。天岩戸親方は、三顧の礼を尽くし、スカウトします。青年は、親方の人間性と情熱に心を打たれ、大学を中退し、入門を決意します。

親方は、青年に言います。

「お前の役目は、大横綱の百呆山を目覚めさせることだ。百呆山が『初心忘るべからず。』と反省するような力士になってほしい。時間がないので、突貫工事で指導するが、どうかそれに応えてほしい。」

その青年を、親方は「四つ葉山」と名付けます。今でも破られていない六十九連勝の伝説の大横綱「双葉百合山」の二倍活躍して、相撲道を愛するファンに大きな幸せをもたらしてほしかったからです。

しかし、それ以外の理由もあります。四つ相撲で、四つの得意技を身に付け、百呆山に真っ向勝負で勝ち、百呆山を目覚めさせてほしいと思ったのです。四つの技とは、「立ち合い、踏み込んでからの突っ張り」「左を差して半身になり、長い差し手を返して、相手の胸にいかり肩を当てての右の強烈な絞り」「連続で体を相手に寄せながら打てる左下手投げ」「左の内刈りのような内掛け」です。

天岩戸親方は、ちあきなおみさんの歌「四つのお願い」がカラオケの十八番なので、四つの技を身に付けることが大切だと思いついたのでしょう。いい加減な気もしますが、作戦としてはすばらしい！

親方は、四つの技ができる前提として摺り足、四股、てっぽう、立ち合いの踏み込みを徹底し

て稽古させます。

基礎ができたら、突っ張りは元大紐の「前ノ天龍山」、絞りと下手投げは、元横綱の「阿輪島」、内掛けは、元大紐「増々山」に指導してもらいます。百呆山のエルボー対策は、全日光プロレスのエース、美竿道治にお願いしました。

四つ葉山は、さすが名大紐「琴電ヶ浜」の遠縁です。短期間で各親方の教えを吸収し、番付を百呆山に挑戦できるまで上げてきました。

したたかな百呆山も手をこまねいていません。自分から、天岩戸部屋に出向き、四つ葉山を指名し、稽古します。

百呆山は、

「四つ葉山は、とても力をつけているが、手の内はわかった。俺と体のサイズが同じなら脅威だが、小さい。ミゼット力士は、おれの敵ではない。」

と報道陣に豪語します。

百呆山と四つ葉山の取り組みの日がやって来ます。

四つ葉山は、百呆山の汚いエルボー攻撃をものともせず、立ち合いから猛烈な上突っ張り。それに対し、百呆山は、エルボーに続き、張り手を見舞（みま）います。それは、四つ葉山にとって渡りに船。脇（わき）が空いたところをすかさず差して、差し手を返しながら、いかり肩を当て右から強烈に絞ります。百呆山の体が起きたら、すぐさま体を寄せながらの連続の左下手投げ。続いて、内掛け。しかし、百戦錬磨（ひゃくせんれんま）の百呆山には通じません。四つ葉山の四つの技への対処法（たいしょほう）を身に付けていたからです。百呆山は、自信満々で一気に寄って出ます。ところが、余裕から、腰高になります。

これを待ってましたとばかりに、四つ葉山は起死回生の掛け投げを仕掛けます。掛け投げは、それまで秘密兵器として、同部屋の力士相手にしかしたことがなかった技です。柔道の内股のような足を大きく跳ね上げる掛け投げが見事に決まり、百呆山は裏返しになりました。

勝負が決まったあと、手を差し伸べた四つ葉山は、百呆山に言います。

「私は、短期間とはいえ、血のにじむような稽古をして、ここまで来ました。運よく勝ったとはいえ、やっとこさです。百呆山関は、半端（はんぱ）なく凄（すご）いです。最後の掛け投げも、全盛期の百呆山関の足腰なら、絶対通用していません。もう一度、初心に帰り、足腰を鍛え直し、私たちの高い壁であり続けてほしいです。言葉が過ぎて、失礼なことを言っているのは、よくわかっていますが、私の言葉を百呆山関が大好きな相撲道ファンのみんなの声として、どうか理解してほしいのです。万全の百呆山関にもう一度対戦させてください。よろしくお願いします。」

と言い、深々と頭を下げます。

百呆山は、自分が恥ずかしくなりました。

「私は、横綱になるまでは、一生懸命だったのに、横綱になってからは、自分の才能と体格をもつ者はいないと、天狗になってしまった。四つ葉山関のけれんみのない全力の相撲は、若い時の自分の相撲だった。今日は、完敗だったが、何だかすがすがしい気持ちだ。次は必ず勝てるように心を入れ替え、若いころのように稽古する。私こそ、再戦を是非お願いしたい。」

と答えます。

四つ葉山は、見事に百呆山を目覚めさせました。さて、再戦の結果はどうなったのでしょうか？「これからが、ええとこや！」。

おしまい。笑。

おわりに

物語を書き終えて思ったことは、本のコンセプトが、CDのミニアルバムのタイトル「コニボシワールド　―愛と調和―」そのものであることです。それで、本の表紙も、CDのジャケットと同じようにシャボン玉で表現しました。

CDのジャケットとの違いは、間、つまり、完全調和の世界から、私の魂の故郷にいる神（宇宙意志）が、コニボシワールドという大きなシャボン玉の中で「物語」のシャボン玉を吹く私を無条件の愛の眼差しで観てくれていることです。

私は、人間一人一人がシャボン玉のような自分のワールドをもっていると思っています。そのすべてのワールドを、神（宇宙意志）が同時進行で興味深く観てくれています。

自分ワールドは、シャボン玉なので、接することもできるし、一部を共有することもできます。接したり、共有したりする方が増えた方が、ドラマが生まれ、神は楽しんでくれるのではないでしょうか。

本を読んでいただき、「愛と調和」を希求するコニボシワールドに接したり、一部を共有できたり、反発したりする方が増えることを願っています。実際は、コニボシワールドを無視する人が一番多いのでしょうが。だからこそ、相手にしてくれた人には、感謝、感謝、感謝です。「しょうもない話ばかりだけれども、間（ま）、いいか！」と思っていただけたら、ありがたき幸せで、物語を書いたかいがあります。そう思った人は、宇宙のような広い心を持った神のレベルに近づけた人だと、私は思います。

なお、コニボシワールドの原点を知りたい方は、刷りすぎてすごい数の売れ残りがある前作の「パロディー物語を書こう！」をアマゾンで買って読んでください。笑

さて、最後に本やCDのコマーシャルをさせてください。（今までも、くどいぐらいしていますね。笑）本は単独、そしてCDとセットでアマゾンで販売します。いずれも、「コニボシ」で検索いただけると、ヒットしやすいと思います。

なお、CDには、歌入りの曲とカラオケバージョンを収録しています。（単独で売るCDミニアルバムには、欲張ってオルゴール風にアレンジした曲も収録）カラオケバージョンを入れたのは、五曲とも、カラオケ店の「ジョイサウンド　うたスキ　ミュージックポスト」で歌えるからです。

本を読んで、歌を聴いて、カラオケバージョンを聴き、ジョイサウンドで歌ってください。それが、コニボシワールドを楽しむフルコースです。それを楽しめる、私と同類の「ヘンな人」が一人でも増えることを祈念しています。そんな人たちが増えたら、「ヘンなコニボシとそのヘンな仲間たち」を結成し、今度はコミックソングのＣＤを作りたいと思います。笑

2020年7月7日発売！

コニボシワールド ～愛と調和～

コニボシとその仲間たち

ANTD-0011　Anytimes Records

定価￥1500＋税

『パロディ物語を書こう！』著者のコニボシが全曲作詞し、
「仲間たち」と歌う全6曲の楽しいミニアルバム。
さらにオルゴールバージョンなど付録し、合計なんと17トラッ

収録曲：零和の時代／レッツビギン！／ソウルバディ／骨だけの傘／自分王国／零和の時代 エピロ・

コニボシとその仲間たち：コニボシ／加藤ヒデキ／堀井麻希子／泉田京香／さくら／源太郎

Produced by Takuya Saib

<販売ショップ>TOWER RECORDS／ローソンHMV／山野楽器／新星堂／TSUTAYA　など　<各ネットショップ>Amazon／楽天／セブンネットショッピング など

<配信ストア>Amazon Music Unlimited／Prime Music／Apple Music／dミュージック／Google Play Music／KKBOX／LINE MUSIC／Spotify／レコチョク／YouTube Music／iTunes Store な

コニボシ
1959年香川県高松市生まれ。琉球大学教育学部卒。小学校教員を経たのち、現在、高松市放課後児童クラブ補助支援員、ボランティア活動「子育て親子相談」を手がける。

「パロディー物語を書こう！」
定価￥800＋税　美巧社
Amazonストアで販売中

「零和の時代」
定価￥500＋税
Anytimes Records
2020年9月1日発

著｜者｜紹｜介

コニボシ

1959年香川県高松市生まれ。琉球大学首里キャンパス最後の卒業生、元小学校教員。現在、個人事業主、放課後児童クラブ補助支援員、ボランティア活動「子育て親子相談」（連絡先：寺子屋TEL087-866-7635）。2019年に前作「パロディー物語を書こう！」を発刊。翌年には作詞にも取り組み、コニボシとその仲間たちでシングル「零和の時代」、ミニアルバム「コニボシワールド～愛と調和～」２枚のCDをリリース。

【著者より一言】

読後のご感想をお寄せいただけるとうれしいです。

E-mail: shibanosuke@ma.pikara.ne.jp

コニボシのパロディー物語Ⅱ

間(ま)、いいか!?

2020年10月25日　初版発行

編集・著者　コニボシ

発　行　所　株式会社　美巧社

〒760-0063 香川県高松市多賀町１-８-10

TEL 087-833-5811　FAX 087-835-7570

印刷・製本　株式会社　美巧社

ISBN978-4-86387-139-7　C0037

定価は表紙に表示しております。